Biblioteca Científica da
AMAZÔNIA

Guia de Identificação das Palmeiras de um Fragmento Florestal Urbano

EDUA

EDITORA DA UNIVERSIDADE
FEDERAL DO AMAZONAS

BR
PETROBRAS

CNPq
Conselho Nacional de Desenvolvimento
Científico e Tecnológico

Inpa
INSTITUTO NACIONAL DE
PESQUISAS DA AMAZÔNIA

Ires Paula de Andrade Miranda
e
Afonso Rabelo

Guia de Identificação das Palmeiras de um Fragmento Florestal Urbano

EDUA
EDITORA DA UNIVERSIDADE
FEDERAL DO AMAZONAS

BR
PETROBRAS

CNPq
Conselho Nacional de Desenvolvimento
Científico e Tecnológico

Inpa
INSTITUTO NACIONAL DE
PESQUISAS DA AMAZÔNIA

EDITOR
Renan Freitas Pinto (UFAM)
George Rebêlo (INPA)

EDITORES-ADJUNTOS
Antonio Carlos Webber
Augusto Loureiro Henriques

EDITORAÇÃO GRÁFICA (MIOLO)
Priscila Araújo Noronha

SUPERVISÃO EDITORIAL
Cinara Cardoso

REVISÃO
Cynthia Teixeira

CONCEPÇÃO GRÁFICA
Wilson Prata

FINALIZAÇÃO DA CAPA
Priscila Araújo Noronha

Ficha Catalográfica

M672g   Miranda, Ires Paula de Andrade; Rabelo, Afonso
Guia de Identificação das Palmeiras de um
Fragmento Florestal Urbano/Ires Paula de Andrade
Miranda e Afonso Rabelo. – Manaus: Editora da
Universidade Federal do Amazonas/Instituto Na-
cional de Pesquisa no Amazonas, 2006.
228 p.: il.; 14 x 22 cm.— (Biblioteca Científica da
Amazônia).

ISBN 85-7401-156-8

1. Guia de Palmeiras- Perímetro Urbano de
Manaus. 2. Espécies de Palmeiras. 3. Paisagem da
Amazônia. I. Rabelo, Afonso. II. Título. III. Série.

CDU 582.545 (811.3)(036)

Ficha Catalográfica elaborada por Guilhermina de Melo Terra
Departamento de Biblioteconomia da UFAM

EDUA
Editora da Universidade Federal do Amazonas
Rua Monsenhor Coutinho, 724 – Centro
Telefax: (0xx92) 3231 – 1139
CEP 69.010.110, Manaus/AM
e – mail: edua_ufam@yahoo.com.br

Editora do INPA
Av. André Araújo, 2936- Caixa Postal 478
CEP: 69.060.001, Manaus/AM, Brasil
Fone: 55 (92) 3642- 3438
Fax: 55 (92) 3643- 3223
www.inpa.gov.br
e – mail: editora@inpa.gov.br

Esta obra foi publicada com o apoio financeiro de:

BR
PETROBRAS

CNPq
Conselho Nacional de Desenvolvimento
Científico e Tecnológico

AGRADECIMENTOS

Nossos agradecimentos às Instituições governamentais e privadas e às pessoas que se seguem:

Ministério da Ciência e Tecnologia (MCT).

Instituto Nacional de Pesquisas da Amazônia (INPA).

Conselho Nacional de Desenvolvimento Científico e Tecnológico (CNPq/PNOPG).

Universidade Federal do Amazonas (UFAM).

Centro de Ciências do Ambiente (CCA) da UFAM.

Mineração Rio do Norte (MRN).

Fundação Djalma Batista (FDB).

Petróleo Brasileiro S/A – Petrobras.

Professor Dr. Alexandre Rivas, da UFAM, pelo apoio valioso e por acreditar na importância dessa obra.

Professor Dr. José da Silva Seráfico de Assis Carvalho, Diretor-Executivo da Fundação Djalma Batista, pela contribuição na revisão da obra.

Dr. Ronaldo Pimentel Mannarino, Coordenador de Gás e Energia da Petrobras em Manaus, facilitador para o arranjo interdisciplinar entre as Instituições INPA e UFAM e dos recursos financeiros.

Pesquisadores, técnicos e bolsistas da CPBO/INPA: Dr. Edelcílio Barbosa, José Benayon Bessa de Moura, José Ferreira Ramos, Filomena Ferreira Santiago, Marcia Carla Ribeiro da Silva e Lena da Silva Chaves, pelo apoio sempre que solicitado.

PREFÁCIO

Conhecimento escondido corresponde, quase sempre, à ignorância. Salvo quando cautelas necessárias recomendam discrição (no caso do registro de patentes, por exemplo), evitar a disseminação dos achados científicos e tecnológicos só pode resultar de uma das duas causas: exagerado egoísmo ou incompreensão do papel da ciência e das responsabilidades sociais dos que a produzem. Do mesmo modo, conhecimento que, de alguma forma – e por menor que seja – não contribua para o equacionamento e/ou solução de problemas do ser humano, não merece outro destino, se não a lixeira.

É bem disso que se trata, quando tenho diante dos olhos o volume que a generosidade dos autores me solicita prefaciar. Mesmo conhecendo minhas limitações científicas, eu, que provenho das ciências sociais (mais grave, ainda, com formação em uma escola de Direito), às quais até hoje é devotado certo desprezo, para não dizer certa recusa ao *status* científico, os autores de tão interessante quanto oportuna obra ousaram convidar-me. Sei que terá pesado em sua escolha a certeza de que, apreciador do trabalho que eles e muitos de seus colegas do Instituto Nacional de Pesquisas da Amazônia, o nosso respeitado INPA, têm desenvolvido, poderia dar testemunho pelo menos útil à compreensão da obra.

Aparentemente despretensioso, este Guia de Identificação das Palmeiras de um Fragmento Florestal Urbano constitui volume indispensável à compreensão de uma das áreas mais agradáveis do perímetro urbano de Manaus, qual seja o ambiente mais próximo dos gabinetes e laboratórios da instituição de pesquisa, incluído o Bosque da Ciência, igualmente uma das iniciativas mais profícuas do Instituto.

Talvez os especialistas em Botânica e ciências afins sejam tímidos em avaliar a importância do trabalho de Ires Miranda e Afonso Rabelo. Meu sentimento, porém, é o de que o valor da obra se encontra exatamente na possibilidade de contribuir enormemente para a aprendizagem dos alunos de cursos universitários. Estou certo de que os estudantes de Biologia, Ciências Florestais, Agronomia e Botânica, para não ser exaustivo, agora dispõem de um manual seguro, sempre que quiserem estudar algumas das variadas espécies de palmeiras que integram a paisagem da Amazônia.

Açaí-do-pará, açaí-da-mata, bacaba, inajá, paxiúba, coco, pupunha, tucumã, mumbaca, marajá do igapó, marajazinho, marajá, palha branca, palheira, dendê, caiaué, ubim, jará, buriti, buritirana, patauá, bacabinha, palmeira imperial e pupunha-brava ganham dos autores apresentação sustentada em segura metodologia. Só isso bastaria para dizer da importância deste trabalho e do mérito de seus autores.

José Seráfico
Diretor-Executivo da Fundação Djalma Batista.

LISTA DE SIGLAS

ASSINPA – Associação dos Funcionários do INPA.

COEX – Coordenação de Extensão.

CPCS – Coordenação de Pesquisas da Ciência da Saúde.

CPBO – Coordenação de Pesquisas em Botânica.

CPPF – Coordenação de Pesquisas de Produtos Florestais.

CPPN – Coordenação de Pesquisas de Produtos Naturais.

GTI – Grupo Técnico de Informática.

INPA – Instituto Nacional de Pesquisas da Amazônia.

LBA – Biosfera - Atmosfera na Amazônia.

SGE – Serviços Gerais.

SRH – Serviço de Recursos Humanos.

UFAM – Universidade Federal do Amazonas.

SUMÁRIO

APRESENTAÇÃO

Fragmentos florestais urbanos tornam-se a cada dia mais preciosos. Eles têm funções ecológicas extremamente relevantes para proporcionar melhor qualidade de vida para os habitantes de uma cidade. Além de ajudarem a preservar a diversidade biológica e na melhoria dos padrões estéticos, esses fragmentos também podem ter importância crucial para o microclima dessas cidades.

A obra que o leitor está por explorar versa sobre a identificação de palmeiras em um fragmento florestal urbano. Mais especificamente, palmeiras localizadas no Campus do Instituto Nacional de Pesquisas da Amazônia. O mesmo é localizado contíguo à floresta do Campus da Universidade Federal do Amazonas, que possui uma área de aproximadamente 600 ha. As duas áreas juntas constituem certamente uma das maiores florestas urbanas do Brasil. Por serem adjacentes, as características da flora e fauna dessas duas áreas são muito próximas. Das 24 espécies de palmeiras existentes na Reserva do Campus da UFAM, apenas 4 espécies não ocorrem no Campus do INPA.

Os resultados apresentados pelos autores, derivados de anos de pesquisa, trazem uma contribuição valiosa para pesquisadores, estudantes e comunidade em geral sobre o conhecimento e reconhecimento dessa interessante forma vegetal, as palmeiras.

Alexandre Rivas
Prof. Dr. do Centro de Ciências do Ambiente- CCA/UFAM

INTRODUÇÃO

As palmeiras caracterizam a paisagem amazônica e estão distribuídas em diversos tipos de *habitats* como floresta de platô, floresta de vertente, floresta de campinarana, floresta de baixio, florestas periodicamente inundadas e espalhadas em diversas florestas degradadas como, por exemplo: capoeiras, pastagens abandonadas e florestas como a Reserva do Campus do INPA – Aleixo. Na floresta de terra firme a maioria das espécies estão adaptadas no sub-bosque, e a minoria são palmeiras arborescentes. Nas áreas periodicamente inundadas, capoeiras e pastagens abandonadas, ocorre pouca diversidade e grande abundância (BONDAR, 1964; ALVES, 1987; GALEANO, 1992; KAHN; GRANVILLE, 1992; MOUSSA et al., 1994; HENDERSON, 1995; RIBEIRO, 1999; MIRANDA et. al., 2001; MIRANDA et al., 2003).

Esses ecossistemas são os mais ricos do mundo devido a sua diversidade. Dentro dessa diversidade destacam-se as palmeiras, as quais além do potencial alimentar são também fornecedoras de óleos, gorduras, essências, ceras, bálsamos e resinas, além do grande potencial paisagístico (BONDAR, 1964).

Segundo Bernal (1992), as palmeiras devem ser consideradas como prioritárias em qualquer avaliação que envolva produtos florestais não-madeireiros, na região amazônica, em função dos múltiplos usos pelo caboclo interiorano e pelas comunidades indígenas.

De acordo com Kahn e Granville (1992), as palmeiras na Amazônia estão representadas aproximadamente por 180 espécies distribuídas em 39 gêneros nativos; no Brasil, por 150 espécies em 28 gêneros. Na Reserva Florestal do Campus da UFAM, no município de Manaus, na Amazônia Central, Rabelo (1987) identificou 16 gêneros, sendo dois introduzidos, distribuídos em 22 espécies nativas e duas introduzidas. Para a Reserva do Campus do INPA–Aleixo, foram identificados 15 gêneros distribuídos em 27 espécies.

Atualmente, os impactos ambientais na Amazônia por meio das pressões antrópicas têm causado o desaparecimento de grandes extensões de floresta primária e degradação do solo. Isso tem causado o aparecimento de grandes populações quase homogêneas de palmeiras como: *Orbignya phalerata, Maximiliana maripa, Attalea monosperma, Astrocaryum acaule* e *Astrocaryum vulgare*.

Para identificar as palmeiras do Campus do INPA com segurança, ainda torna-se necessário fazer a coleta, herborização e comparação com material depositado nos herbários, bem como, muitas vezes, a necessidade de confirmação do material por especialistas, o que é muito demorado e também algumas espécies são muito raras no Campus do INPA (algumas com apenas um indivíduo) e nunca frutificaram, o que torna difícil a identificação por meio desses aspectos.

O objetivo desse guia é construir chaves de identificação dos gêneros e das espécies ocorrentes no Campus por meio principalmente dos caracteres vegetativos identificados no campo. Esses caracteres analisados nas chaves, além de identificarem as espécies na fase adulta, irão contribuir para a identificação das mesmas nas diferentes fases dos seus crescimentos.

Este guia foi confeccionado pelos seguintes motivos: (1) a área verde do Campus do INPA é uma das poucas áreas verdes públicas e institucionais existentes na cidade de Manaus, sendo um dos poucos remanescentes florestais com palmeiras nativas da região amazônica visitadas por estudantes, turistas e população em geral; (2) a floresta do Campus possui boa freqüência e abundância de palmeiras nativas, sendo considerada como a família mais importante na fisionomia dessa floresta; (3) a família Arecaceae é considerada como a terceira mais importante para o homem; (4) algumas palmeiras são identificadas equivocadamente para colocação de placas de identificação no Bosque da Ciência; (5) estimular a educação ambiental e turismo ecológico; (6) facilitar as pesquisas científicas realizadas com palmeiras dentro do Campus do INPA.

CLASSIFICAÇÃO E DESCRITORES ECOLÓGICOS

CLASSIFICAÇÃO UTILIZADA PARA OS 15 GÊNEROS DE PALMEIRAS DESCRITOS NA FLORA DO CAMPUS DO INPA – ALEIXO

As palmeiras, segundo a classificação atual internacionalmente aceita (UHL & DRANSFIELD, 1987), são classificadas da seguinte maneira:

Reino: vegetal
Divisão: Magnoliophyta (=Angiospermae)
Classe: Liliopsida (=Monocotyledoneae)
Subclasse: Arecidae (=Espadiciflorae)
Superordem: Arecanae
Ordem: Arecales (=Principes)
Família: Arecaceae (=Palmae)

Subfamília: Calamoideae
  tribo: Lepidocaryeae
    gênero: *Mauritia, Mauritiella*

Subfamília: Arecoideae
  tribo: Iriarteeae
    subtribo: Iriarteinae
      gênero: *Socratea*

Subfamília: Arecoideae
  tribo: Areceae
    subtribo: Leopoldiniinae
      gênero: *Leopoldinia*

Subfamília: Arecoideae
  tribo: Areceae
    subtribo: Euterpeinae
      gênero: *Euterpe, Oenocarpus*

Subfamília: Arecoideae
  tribo: Areceae
    subtribo: Roystoneinae
      gênero: *Roystonea*

Subfamília: Arecoideae
  tribo: Cocoeae
    subtribo: Butiinae
      gênero: *Cocos, Syagrus*

Subfamília: Arecoideae
    tribo: Cocoeae
        subtribo: Elaeidinae
            gênero: *Elaeis*

Subfamília: Arecoideae
    tribo: Cocoeae
        subtribo: Bactridinae
            gênero: *Astrocaryum, Bactris*

Subfamília: Arecoideae
    tribo: Geonomeae
        gênero: *Geonoma*

Caracterização botânica

A família Arecaceae é a única contida na ordem Arecales. Cronquist (1981) descreve as plantas da ordem Arecales como freqüentemente arborescentes, com uma coroa terminal de grandes folhas de pecíolos com bainha e limbo expandido; flores bem desenvolvidas, embora pequenas, com perianto evidente, bisseriado, com seis membros não agrupados em espadice; carpelos livres ou unidos; endospermas nucleares. As raízes são fasciculadas, cilíndricas, espessadas, muito abundantes, medindo vários metros de comprimento. Produzem ramificações e numerosas cabeleiras, sem que isso resulte num adelgaçamento sensível. Não há maior desenvolvimento de uma raiz principal.

As palmeiras possuem estipes aéreos (maioria das palmeiras) subterrâneos (algumas palmeiras como: *Astrocaryum acaule, Astrocaryum sociale, Attalea attaleoides* etc.), solitários ou cespitosos, ocasionalmente trepadores (gênero *Desmoncus*), raramente ramificados (*Hyphaene thebaica*). Os estipes podem ser classificados em cinco tipos principais: Arundináceo – encontrado em *Chamaedorea* e *Geonoma*; calamiforme – é o tipo de estipe de *Calamus* e *Desmoncus*; coluniforme – é o caso do buriti (*Mauritia*), cujo caule é comprido e duro; cocoídeo – é o estipe do coqueiro (*Cocos nucifera*), do dendê (*Elaeis guineensis*) e do babaçu (*Orbignya phalerata*). Segundo Henderson (1995), as folhas das palmeiras são palmadas, costapalmadas ou pinadas, induplicadas ou reduplicadas, bainhas abertas ou fechadas; quando fechadas, formam uma coroa, pecíolos curtos ou longos, ráquis longos e contendo pinas em folhas pinadas, curtos ou ausentes em folhas palmadas e costapalmadas e então divididas em segmentos. Inflorescências interfoliares ou infrafoliares na antese; pedúnculos contendo prófilo e uma a muitas brácteas pedunculares; ráquis contendo poucas a muitas ráquilas ou ocasionalmente inflorescência espigada; flores geralmente trímeras, hermafroditas ou unissexuais e plantas monóicas ou dióicas; frutos pequenos a muito grandes, geralmente com uma ou mais (2-10) sementes; sementes com endosperma homogêneo ou ruminado; plântulas com folhas inteiras, bífidas, palmadas ou pinadas.

Hábito e tipo de crescimento das palmeiras

Henderson (1995) classifica o hábito de crescimento das palmeiras em cinco tipos básicos: arbóreo (geralmente solitário), arbustivo (geralmente em touceiras), acaule (estipe subterrâneo), trepador (liana) e erva (palmeiras com menos de um metro de altura).

Segundo Kahn e Graville (1992), as palmeiras apresentam diferentes hábitos de crescimento e ocorrem em todos os estratos da floresta. As espécies altas chegam até 25 m ou mais. No sub-bosque da floresta encontram-se as espécies adultas medindo altura de 2 até 12 m, as quais freqüentemente têm caules delgados e cespitosos (formando touceira através de brotos basais). As espécies acaules têm folhas saindo diretamente do solo, pois possuem um caule horizontal, subterrâneo.

Principais caracteres utilizados na identificação de campo na Amazônia Central

Segundo Ribeiro et al. (1999), os diferentes gêneros de palmeiras da Reserva Florestal Adolpho Ducke, na Amazônia Central, podem ser separados por meio de certas características. Por meio do hábito de crescimento, identifica-se facilmente *Desmoncus*, pois este gênero é a única trepadeira na América do Sul. Uma adaptação ao hábito de trepadeira é que as pinas apicais das folhas deste gênero são modificadas em ganchos e recurvadas para baixo. Na Reserva Ducke só dos gêneros *Astrocaryum*, *Attalea* e *Bactris* ocorrem espécies com caule subterrâneo; todos os outros gêneros têm caule aéreo. *Iriartella* e *Socratea* são facilmente reconhecidas por causa das raízes escoras, mas também pelas folhas com pinas rômbicas que parecem rabo de peixe. O tipo de folha palmada separa *Mauritia* e *Mauritiella* de todos os outros gêneros da Reserva Ducke que possuem folhas pinadas. Os espinhos na bainha, no pecíolo, na ráquis ou nas margens das pinas das folhas de *Astrocaryum* e *Bactris* são muito característicos para esses dois gêneros. A coloração das folhas serve para separar estes dois gêneros: as folhas de *Bactris* são sempre verdes, mas *Astrocaryum* tem uma coloração esbranquiçada na face abaxial das folhas.

Importância das palmeiras

Entre os vegetais, a família das palmeiras (Arecaceae) é uma das mais importantes na fisionomia da floresta e na alimentação humana, pois, além do potencial alimentar, medicinal e industrial, são também fornecedoras de matéria-prima para construção de casas em zonas rurais e abrigos na floresta para o homem e animais (BONDAR, 1964; ALVES, 1987; GALEANO, 1992; KAHN, 1992; HENDERSON, 1995; MIRANDA et. al., 2001).

Todas as partes de uma palmeira são utilizadas de alguma maneira: os frutos e as sementes são aproveitados na dieta alimentar humana e de animais; possuem matéria-prima para indústrias de cosméticos, alimentícias e também como fonte alternativa de combustível; as folhas jovens servem para coberturas de casas e as adultas como abrigos nas florestas; na coroa foliar encontra-se o palmito, que tem grande valor alimentício e industrial; o estipe serve para fazer móveis, assoalhos e paredes de casas; as raízes têm uso na medicina caseira, sendo usadas no combate a febres, dores de cabeça, problemas intestinais e verminoses (MIRANDA et al., 2001).

LOCALIZAÇÃO DA ÁREA DA RESERVA DO CAMPUS DO INPA E DA UFAM

A área está localizada dentro do Instituto Nacional de Pesquisas da Amazônia (Campus I), na Avenida André Araújo, 2.936, no bairro de Petrópolis, na cidade de Manaus – Estado do Amazonas.

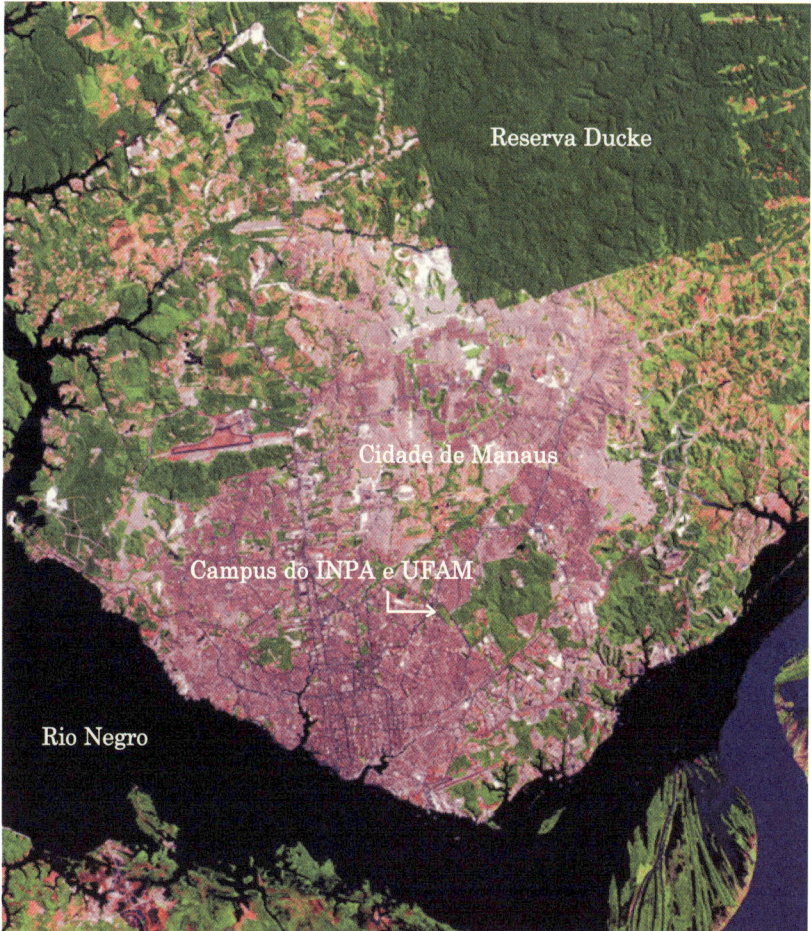

Figura A. Imagem Landsat TM, bands 3,4 & 5 (B,G,R). Ano – 1996.
Vista das Reservas do Campus do INPA e da UFAM circundada pela cidade de Manaus./Fonte: INPE.

Área do Campus do INPA – Aleixo

Tamanho total da área: 25,67 ha.
Tamanho da área construída (prédios e ruas): 4,11 ha.
Tamanho da área verde: 21,56 ha.
Fonte: Divisão de Engenharia e Arquitetura (2004).

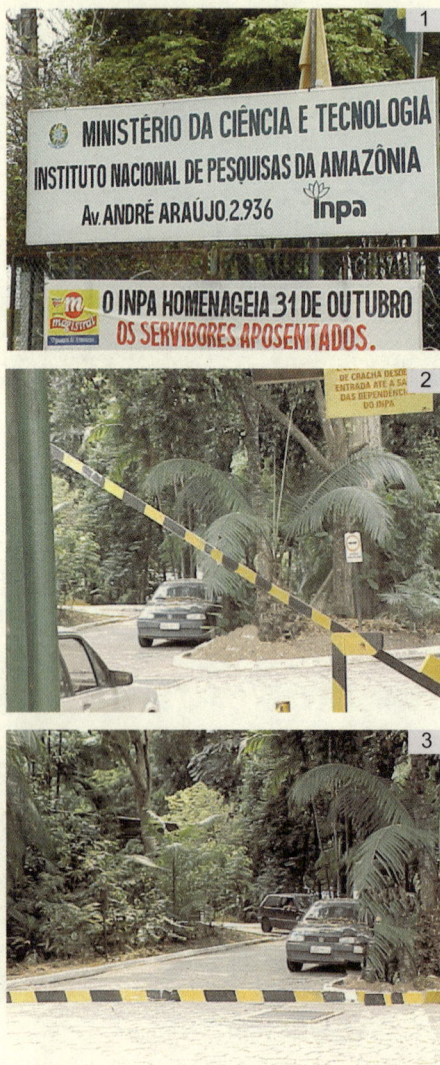

Figura B. (1, 2 e 3) Detalhes da entrada e saída do Campus do INPA.

Figura C. (1, 2, 3, 4, 5 e 6) 1. Lateral de acesso ao Bosque da Ciência; 2. Local da entrada do Bosque; 3. Placas de identificação das trilhas; 4. Detalhe da trilha principal; 5. Recanto dos inajás; 6. Fauna do Bosque da Ciência composta por vários animais, tais como: araras, macacos, peixe-boi, ariranhas, tracajás, tartarugas, jacarés, peixe-elétrico, mutum etc.

Figura D.(1, 2, 3, 4, 5 e 6) 1. Vista externa da vegetação densa do Bosque; 2. Lago amazônico; 3. Ilha da Tanimbuca; 4. Tanques do peixe-boi; 5. Paiol da Cultura; 6. Trilha suspensa.

METODOLOGIA

A coleta das palmeiras foi realizada em toda a área verde do Campus e Bosque da Ciência, posteriormente foram trazidas para o herbário do INPA, onde foram identificadas por comparação com o material testemunho, revisado por especialistas. No campo foram avaliados os caracteres vegetativos nas diferentes fases de crescimento e analisados o hábito de crescimento, altura da planta, forma do estipe, forma das folhas, agrupamentos e disposição dos folíolos, tipo de bainha e pecíolo, forma e localização das inflorescências, presença de espinhos, acúleos, raízes aéreas, pêlos, polvilho, tipo e forma das inflorescências etc.

Foi elaborada uma chave dicotômica para a identificação dos gêneros e espécies com espinhos e sem espinhos. Esta chave utilizou-se principalmente dos caracteres vegetativos e reprodutivos reconhecíveis no campo. Os gêneros foram numerados na chave de acordo com a determinação alfabética e foi seqüenciada durante o aparecimento do texto. Dentro de cada gênero, foi elaborada uma chave dicotômica para identificação das espécies. A numeração, citação e descrição das espécies foram também na ordem alfabética, seguidas por suas figuras.

RESULTADOS

As palmeiras estão representadas no Campus do INPA por 27 espécies distribuídas em 15 gêneros, representando 15% das espécies da Amazônia, 18% das espécies brasileiras e 57% das espécies da Reserva Florestal Adolpho Ducke. O número de espécies por gênero é o seguinte:

Plantas com espinhos

1 – *Astrocaryum* (3) .... *A. acaule, A. aculeatum* e *A. gynacanthum.*

2 – *Bactris* (6) .... *B. concinna, B. gasipaes, B. gastoniana, B. hirta, B.* cf. *riparia* e *B. simplicifrons.*

Plantas sem espinhos

3 – *Attalea* (2) .... *A. attaleoides* e *Attalea* sp.

4 – *Cocos* (1) .... *Cocos nucifera.*

5 – *Elaeis* (2) .... *E. guineensis* e *E. oleifera.*

6 – *Euterpe* (2) .... *E. oleracea, E. precatoria.*

7 – *Geonoma* (1) .... *Geonoma maxima* var. *chelidonura.*

8 – *Leopoldinia* (1) .... *Leopoldinia pulchra.*

9 – *Mauritia* (1) .... *Mauritia flexuosa.*

10 – *Mauritiella* (1) .... *Mauritiella aculeata.*

11 – *Maximiliana* (1) .... *Maximiliana maripa.*

12 – *Oenocarpus* (3) .... *O. bacaba, O. bataua* e *O. minor.*

13 – *Roystonea* (1) .... *Roystonea oleracea.*

14 – *Socratea* (1) .... *Socratea exorrhiza.*

15 – *Syagrus* (1) .... *Syagrus inajai.*

Obs.: as espécies *Cocos nucifera*, *Elaeis guineensis*, *Roystonea oleracea* não são palmeiras nativas da floresta amazônica. *Bactris hirta* (marajazinho) de folha inteira, *Desmoncus polyacanthos* (jacitara) e *Iriartea deltoidea* (paxiúba barriguda) foram extintas no Campus do INPA, as duas primeiras foram cortadas nas margens das trilhas e a terceira na ampliação do herbário da CPBO. No início de 2004, foram plantadas várias plântulas de *Phytelephas macrocarpa* (marfim vegetal) no Campus do INPA.

CHAVES DE IDENTIFICAÇÃO DAS PALMEIRAS DO CAMPUS DO INPA-ALEIXO

Chave para identificação dos gêneros: plantas com espinhos

1. Plantas com espinhos

> 2. Folhas das plantas com superfície
> abaxial branca . . . . *Astrocaryum* (1)

> 2. Folhas das plantas com superfície
> abaxial verde . . . . *Bactris* (2)

(1) *Astrocaryum*

Figura 1. (a, b, c) Folhas do gênero *Astrocaryum*, mostrando superfície abaxial (inferior) da folha com coloração branca.

(2) *Bactris*

Figura 2. (a, b, c, d, e) Folhas do gênero *Bactris*, mostrando a superfície abaxial (inferior) da folha com coloração verde.

Chave para identificação dos gêneros: plantas sem espinhos

1. Folhas costapalmadas, plantas dióicas

2. Plantas com estipes solitários e lisos . . . . *Mauritia* (9)
2. Plantas com estipes em touceiras com acúleos . . . . *Mauritiella* (10)

1. Folhas pinadas, plantas monóicas

3. Plantas com poucas pinas . . . . *Geonoma* (7)
3. Plantas com muitas pinas.

4. Plantas com bainhas fechadas.

5. Com bainha fechada e folhas pinadas dispostas em planos diferentes . . . . *Roystonea* (13)

5. Com bainha fechada e folhas pinadas dispostas no mesmo plano . . . . *Euterpe* (6)

6. Plantas com bainha aberta.

7. Inflorescência com numerosas ráquilas . . . . *Oenocarpus* (12)

7. Inflorescência com poucas ráquilas

8. Plantas com raízes escoras . . . . *Socratea* (14)

8. Plantas sem raízes escoras.

9. Plantas com base das folhas persistente no estipe

10. Estipe grosso e presença de bainhas remanescentes . . . .
. . . . *Elaeis* (5)

10. Estipe fino coberto por fibras resultantes da queda da bainha . . . . . .
. . . . *Leopoldinia* (8)

11. Plantas com estipe liso quando adultas.

12. Plantas com frutos maiores que 15 cm de comprimento . . . .
. . . . *Cocos* (4)

12. Plantas com frutos menores que 5 cm de comprimento . . . .
. . . . *Syagrus* (15)

13. Plantas com inflorescências masculinas e femininas em cachos separados.

14. Estipe subterrâneo . . . . *Attalea* (3)

14. Estipe aéreo . . . . *Maximiliana* (11)

(9) *Mauritia* e (10) *Mauritiella*

Figura 3. a. Folhas costapalmadas comuns nos dois gêneros.

Figura 4. (b e c) b. Estipe em touceiras com acúleos em *Mauritiella*; c. Estipe solitário e liso

(14) *Socratea*

em *Mauritia.*

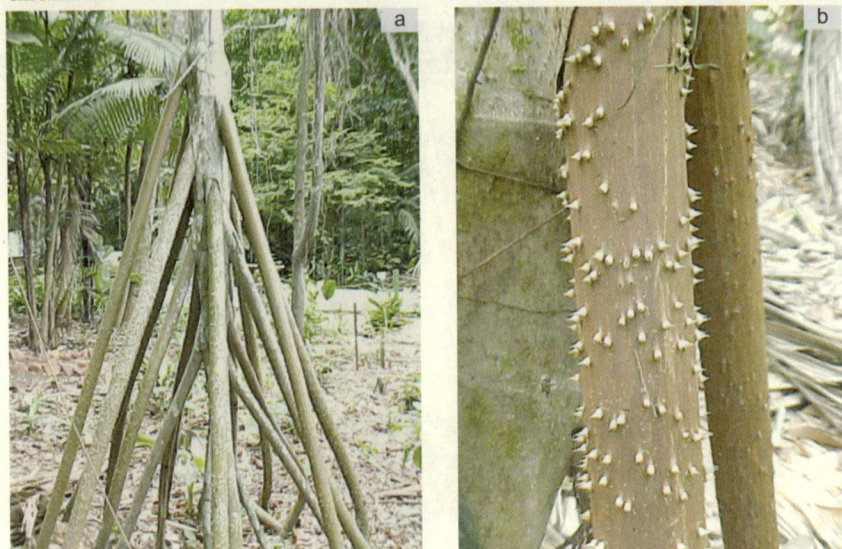

Figura 5. (a e b) a. Raízes escoras; b. Presença de pequenos acúleos na raiz.

Figura 5. c. Folhas pinadas com recorte apical.

(7) *Geonoma*

Figura 6. (a e b) Folhas com poucas pinas.

(13) *Roystonea*

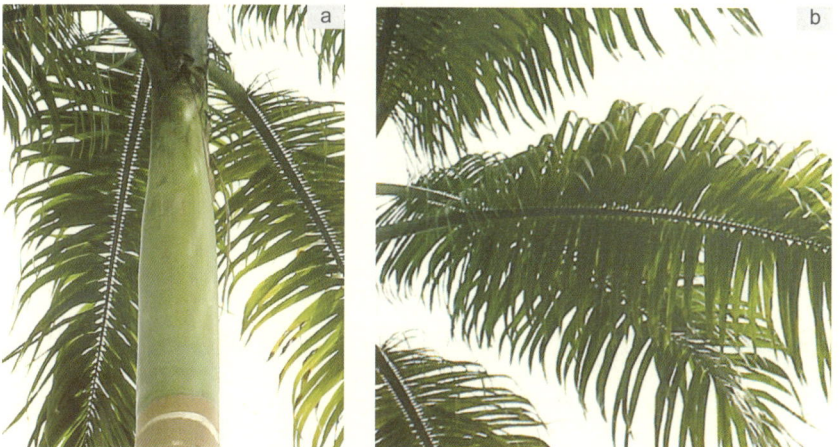

Figura 7. (a e b) a. Folhas com bainhas fechadas; b. Folhas pinadas dispostas em diferentes planos.

(6) *Euterpe*

Figura 8. a. Folhas com bainhas fechadas.

Figura 8. b. Folhas pinadas dispostas no mesmo plano.

(12) *Oenocarpus*

Figura 9. (a e b) Plantas com bainha aberta, b. Inflorescências e infrutescências com numerosas ráquilas.

(5) *Elaeis*

Figura 10. (a e b) Estipe grosso com presença de bainhas remanescentes.

(8) *Leopoldinia*

Figura 10. c. Estipe coberto por fibras resultante da queda da bainha.

(4) *Cocos*

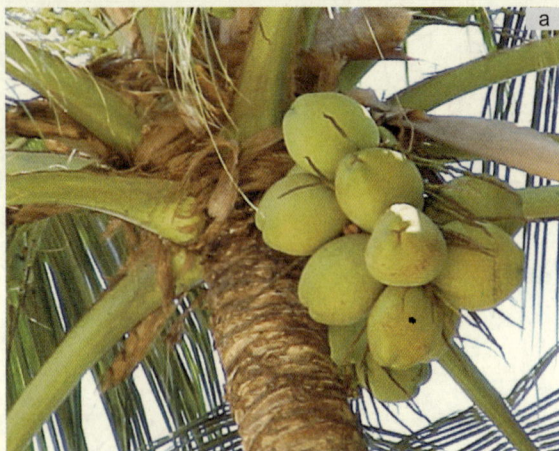

Figura 11. a. Frutos maiores, com 15 cm de comprimento em *Cocos*.

(15) *Syagrus*

Figura 11. b. Frutos com até 5 cm de comprimento em *Syagrus*.

(3) *Attalea*

Figura 12. a. Plantas com estipe subterrâneo em *Attalea*.

(11) *Maximiliana*

Figura 12. b. Planta com estipe aéreo em *Maximiliana*.

IDENTIFICAÇÃO E DESCRIÇÃO DAS ESPÉCIES COM ESPINHOS DENTRO DE CADA GÊNERO

(1) *Astrocaryum* G. Mey

Primitiae Florae Essequeboensis . . . . 265. 1818.
Tipo: *Astrocaryum aculeatum* G. Mey. – *Primitiae Florae Essequeboensis*. . . . .
. . . . 265. 1818.

Chave para identificação das espécies de *ASTROCARYUM*

1. Plantas com estipe aéreo.

      2. Estipe solitário . . . .*A. aculeatum* (1. 2).

      2. Estipe em touceiras . . . . *A. gynacanthum* (1. 3).

1. Plantas com estipe subterrâneo . . . . *A. acaule* (1. 1).

(1.1) *Astrocaryum acaule* Mart.

Historia Naturalis Palmarum 2: 78. 1824 {*Hist. Nat. Palm.*}.

Nome vulgar
Tucumã-i

Tucumã-i

Palmeira com caule subterrâneo. Folhas do tipo pinadas com superfície abaxial (inferior) branca, agrupadas e dispostas em diferentes planos, pecíolo novo, de coloração avermelhada, com muitos espinhos e presença de várias cicatrizes brancas deixadas pelo desprendimento dos espinhos; bainha aberta. Inflorescência interfoliar, frutos de ovóides a subglobosos lisos, medindo 4,4 x 3,2 cm de diâmetro; coloração amarela à alaranjada quando maduro. (Figura 13).

Ecologia e habitat na Floresta Amazônica

Cresce bem em áreas abertas, matas perturbadas, margens de rios, igarapés e estradas, predominando quase sempre em solos arenosos mal drenados com baixa elevação, formando nessas áreas populações quase homogêneas. No interior da floresta primária o tucumã-i ocorre somente nas vegetações de baixio.

Usos

A polpa do fruto é comestível e pode servir também como isca para pescarias. O tegumento da semente, duro e rígido, é bastante utilizado em artesanatos, na confecção de anéis, pulseiras e colares. As folhas jovens fornecem fibras que podem ser utilizadas para confecção de cordas e redes.

Habitat no campus do INPA

Esta espécie possui freqüência e abundância muito baixa, não ocorre nenhum tipo de regeneração natural. Predomina na área do Bosque da Ciência somente com dois indivíduos, que estão localizados nas proximidades do lago amazônico. Apesar de serem indivíduos adultos, florescem, mas ainda não frutificam.

Astrocaryum acaule Mart.

Figura 13. (a e b) a. Hábito da palmeira acaule (sem estipe); b. Pinas das folhas dispostas em diversos planos.

Figura 13. (c, d e e) c. Detalhe dos pecíolos, sendo os novos avermelhados com cicatrizes brancas; d. Infrutescência e inflorescência; e. Flores masculinas e femininas.

Figura 13. (f, g, h e i) f. Infrutescência madura; g. Planta jovem com folhas bífidas; (h e i) Detalhe dos frutos inteiros, seccionados e semente.

(1.2) *Astrocaryum aculeatum* G. Mey

Primitiae Florae Essequeboensis . . . . 265. 1818 {Prim. *Fl. Esseq.*}.
Tipo: *Martius s.n.*, sem data, Brasil (M).

Sinonímias

Astrocaryum chambira Burret
Repertorium Specierum Novarum Regni Vegetabilis 35: 122. 1934 {*Repert. Spec. Nov. Regni Veg.*; BPH 772.20}.

Astrocaryum princeps Barb. Rodr.
Enumeratio Plantarum Omnium Hucusque Cognitarum 22. 1875 {*Enum. Pl.*}.

Astrocaryum tucuma Mart.
Historia Naturalis Palma. 2: 77t 65f.2. 1823{*Hist. Nat. Palm.*}.

Nome vulgar
Tucumã

Figura 14

Tucumã

Palmeira monocaule, com até 25 m de altura e estipe (caule) com espinhos nos entrenós medindo em média 25 cm de diâmetro. Folhas do tipo pinadas, medindo 6 m de comprimento, agrupadas e dispostas em diferentes planos, com coloração branca na superfície abaxial (inferior); bainha aberta. Inflorescência interfoliar ereta, fruto subgloboso a ovóide liso, com tamanho mínimo de 3,3 x 2,6 cm e no máximo 5,60 x 5,42 cm de comprimento com coloração e paladar bastante variados entre as variedades. (Figura 14).

Ecologia e habitat na Floresta Amazônica

Espécie muito freqüente na Amazônia, é encontrada esporadicamente em pequenas densidades no interior da floresta. Entretanto, o tucumã é dispersado principalmente pelo homem em capoeiras, savanas, pastagens abandonadas, sítios, quintais residenciais, zona rural e margens de estradas, predominando em solos pobres, degradados e bem drenados.

Usos

A polpa do fruto é consumida de forma *in natura* ou usada para fazer sorvetes, sanduíches, recheio em tapiocas (comida típica em cafés regionais) e creme para pães. Essa polpa, além de muito saborosa, é rica em ß-caroteno, proteínas, minerais, lipídios, carboidratos, óleos e fibras. A grande oferta dos frutos de tucumã na cidade de Manaus ocorre durante os meses de dezembro a junho, no entanto esse fruto pode ser encontrado fora dessa época em pequenas ofertas, mais com preço elevado. A amêndoa, quando verde, serve de alimento e, quando madura, extrai-se um óleo que é empregado como matéria-prima para fazer sabão. Os folíolos novos fornecem fibras resistentes e finas, que são usadas nas confecções de redes domésticas, de pesca e outros fins. Na comercialização dos frutos de tucumã, ocorre duas situações diferentes: os frutos selecionados de grande valor comercial, que apresentam homogeneidade na forma, tamanho e gosto agradável, e os frutos misturados, que geralmente são mais baratos. No entanto, apresentam diferenças nas formas, tamanhos e paladar amargo e fibroso. Contudo, possuem grande valor comercial para artesanatos por meio de suas sementes.

Habitat no campus do INPA

Esta espécie é facilmente encontrada em todas as áreas do Campus, com grande freqüência, abundância e regeneração natural. Devido a sua grande regeneração natural por meio de suas sementes, o tucumãzeiro não corre risco de extinção no Campus do INPA, onde são encontrados indivíduos em diversas fases de crescimento. Seus frutos são importante fonte de alimentos para os animais roedores existentes nesta Reserva.

Astrocaryum aculeatum Mart.

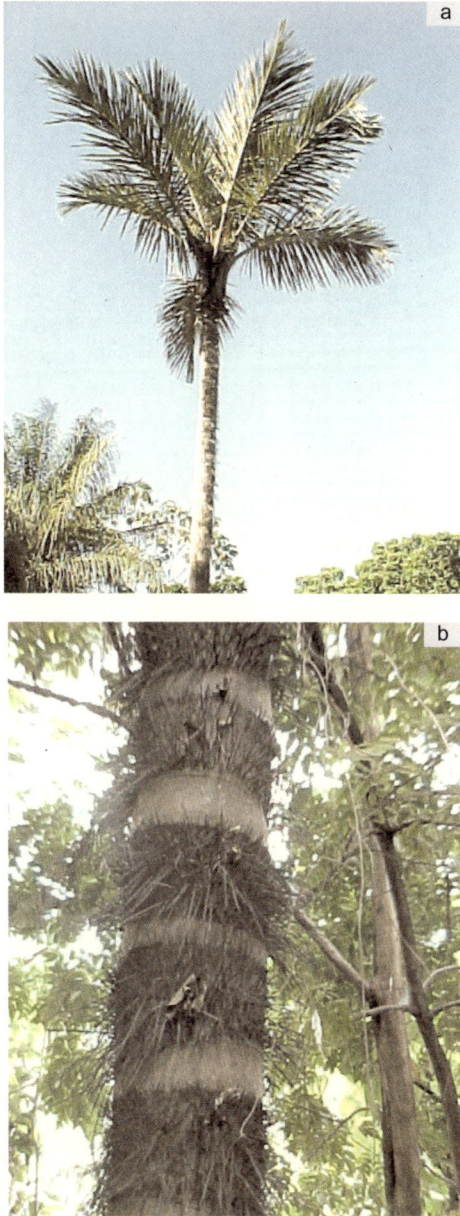

Figura 14. (a e b) a. Hábito de crescimento solitário; b. Estipe com espinhos nos entrenós.

Figura 14. (c e d) c. Detalhe da coroa foliar com infrutescências eretas e pinas das folhas dispostas em diversos planos; d. Inflorescência.

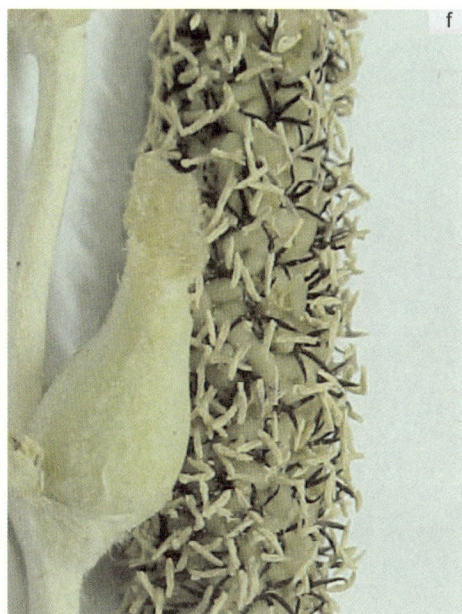

Figura 14. (e e f) e. Flores masculinas; f. Flores masculinas e femininas.

Figura 14. (g e h) g. Infrutescência ereta; h. Frutos maduros com diferentes formas, tamanhos e mesocarpo (polpa) com colorações variadas.

Figura 14. (i e j) i. Frutos e sementes seccionados; j. Plântula com folha bífida.

Figura 14. l. Planta jovem.

(1.3) *Astrocaryum gynacanthum* Mart.

Historia Naturalis Palmarum 2: 73. 1824 {*Hist. Nat.Palm.*}.
 Tipo: *Martius s.n.*, Set, Brasil (M).

Sinonímias

Astrocaryum gymnopus Burret
Notizblatt des Botanischen Gartens und Museums zu Berlin-Dahlem 10: 1020. 1930.
{*Notizbl. Bot. Gart. Berlin-Dahlem*; BPH 668.21}.

Astrocaryum munbaca Mart.
Historia Naturalis Palmarum 2: 74. 1824 {*Hist. Nat. Palm.*}.

Astrocaryum rodriguesii Trail
Journal of Botany, British and Foreign 6: 79. 1877 {*J. Bot.*; BPH 459.22}.

Nome vulgar
Mumbaca

Figura 15

Mumbaca

Palmeira multicaule, com até 10 m de altura, estipe (caule) coberto com espinhos, medindo 6 a 7 cm de diâmetro. Folhas do tipo pinadas, com 2,3 m de comprimento, agrupadas e dispostas no mesmo plano, coloração branca na superfície abaxial (inferior); bainha aberta. Inflorescência interfoliar, frutos ovóides lisos, medindo 2,8 x 1,8 cm de diâmetro, de coloração alaranjada, com fendas semelhantes a uma flor aberta quando maduros. (Figura 15).

Ecologia e habitat na Floresta Amazônica

Espécie muito freqüente e abundante em toda a Amazônia, predominando no sub-bosque da floresta primária, quase sempre em solos bem drenados. Esta palmeira ocorre também em pastagens abandonadas e florestas de capoeiras. Inventários afirmam que esta palmeira é resistente ao corte e ao fogo. Seus frutos são bastante apreciados por roedores, os quais são responsáveis pela sua dispersão. Provavelmente a mumbaca é a espécie de palmeira mais disseminada em toda a floresta amazônica.

Usos

A amêndoa, quando verde, é comestível, e na maturação fornece óleo para culinária. O tegumento da semente possui potencial para peças artesanais. O caule possui grande rigidez, podendo ser usado na fabricação de arcos, pontas de flechas e artesanatos.

Habitat no campus do INPA

Esta espécie predomina nas margens das alamedas do Campus e por todas as trilhas da vegetação densa do Bosque da Ciência com grande freqüência, abundância e regeneração natural. É uma palmeira que não corre risco de extinção nessa Reserva, porque possui grande regeneração natural por meio de suas sementes e também por rebrotamentos laterais de suas touceiras. Nessas áreas é comum deparar-se com indivíduos de mumbaca em diversas fases de seus crescimentos.

Astrocaryum gynacanthum Mart.

Figura 15. (a e b) a. Hábito de crescimento em touceiras; b. Detalhe da coroa foliar.

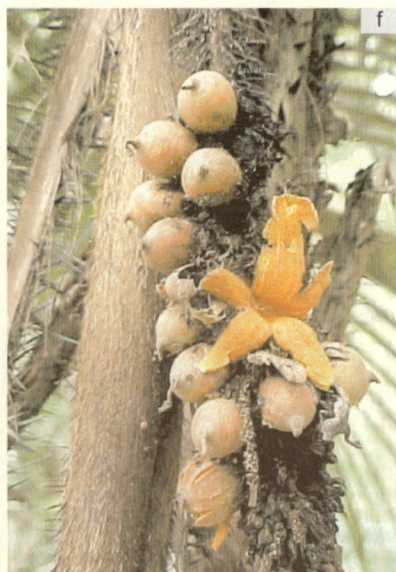

Figura 15. (c, d, e e f) c. Estipe com espinhos; d. Pinas das folhas dispostas no mesmo plano e superfície abaxial branca; e. Inflorescência; f. Infrutescência.

Figura 15. (g e h) g. Frutos maduros; h. Frutos maduros abertos.

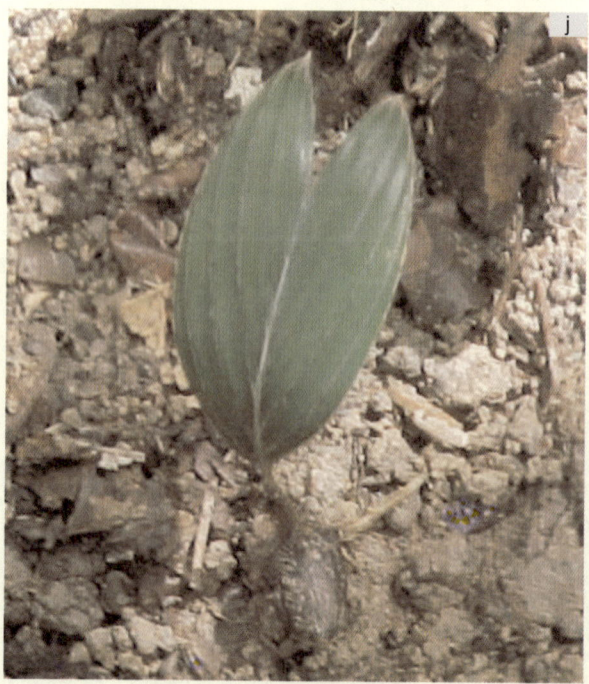

Figura 15. (i e j) i. Sementes; j. Plântula.

Figura 15. (l e m) l. Planta jovem acaule com poucas pinas; m. Planta jovem acaule com muitas pinas.

(2) *Bactris* Jacq. ex Scop.

Introductio ad Historiam Naturalem 70. 1777 {*Intr. Hist. Nat.*}.

Tipo: LT: *Bactris minor* Jacq. – *Selectarum Stirpium Americanarum Historia ...*, ed. 2, 134, t. 256. 1780-1781. LT designado por G. K. W. H. Karsten, Linnaea 28: 393 ([1856] Jun 1857).

Chave para identificação das espécies do gênero *BACTRIS*

1. Plantas com até 4 metros de altura.

2. Com pêlos na superfície das folhas. . . . . *Bactris hirta* (2. 4).
2. Sem pêlos na superfície das folhas.

3. Plantas com polvilho marrom no pecíolo e ráqui das
    folhas . . . . *Bactris gastoniana* (2. 3).
3. Plantas sem pêlos marrom no pecíolo e ráqui das folhas.

4. Plantas com folhas do tipo bífida. . . . . *Bactris simplicifrons* (2. 6).
4. Plantas com folhas pinadas dispostas no mesmo
    plano. . . . . *Bactris concinna* (2. 1).

1. Plantas com altura maior que 4 metros.

5. Folhas com muitas pinas e estipe
    com DAP > 10 cm. . . . .*Bactris gasipaes* (2. 2)

5. Folhas com poucas pinas e estipe
    com DAP < 10 cm. . . . ./. . . . .*Bactris* cf. *riparia* (2. 5).

(2.1) *Bactris concinna* Mart.

Historia Naturalis Palmarum 2: 99, pl. 72, f. 4-6. 1823 {*Hist. Nat. Palm.*}.
Tipo: *Martius s.n.*, sem data, Brasil (M).

Sinonímias

Pyrenoglyphis concinna (Mart.) Burret
Repertorium Specierum Novarum Regni Vegetabilis 34: 242.1934 {*Repert. Spec. Nov. Regni Veg.;* BPH 772.20}.

Nome vulgar
Marajá do Igapó

Marajá do Igapó

    Palmeira multicaule, com altura até 4 m, estipe (caule) com espinhos medindo de 1 a 2 cm de diâmetro. Folhas do tipo pinadas com até 1,9 m de comprimento, agrupadas e dispostas no mesmo plano; bainha aberta. Inflorescência interfoliar, tipo espiga, frutos com tamanho e forma irregulares, estreitamente obovóides, lisos, medindo 2,70 x 1,27 cm de diâmetro, coloração roxo-escura na maturidade. (Figura 16).

Ecologia e habitat na Floresta Amazônica

    Espécie muito freqüente em áreas periodicamente inundadas, predominando ao longo das margens de igarapés e igapós de rios de água escura, formando densas touceiras. Nesses locais, esta palmeira é encontrada associada com as espécies de *Bactris bidentula*, *Bactris maraja*, *Bactris riparia*, *Astrocaryum jauari* e *Astrocaryum murumuru*. O período de maturação dos frutos coincide com o pico de cheias dos rios, os quais caem na água, e são muito importantes na dieta de peixes e quelônios. A água e a fauna aquática são os principais dispersores de suas sementes.

Usos

A polpa do fruto é comestível e tem sabor agradável, porém muito fina, sendo pouco apreciada pelo homem. As sementes podem ser usadas em artesanatos para confecção de colares e pulseiras. O caule muito duro e rígido é utilizado na fabricação de pontas de flechas. Ressaltando a presença de espinhos no estipe, a espécie possui potencial ornamental.

Habitat no campus do INPA

Possui freqüência e abundância muito baixa no Campus; regenera-se por brotamentos laterais nas suas touceiras, garantindo assim sua sobrevivência. Ocorre somente nas áreas das cercanias do prédio da Diretoria e em frente ao Serviço Médico e Odontológico. Não ocorre no Bosque da Ciência.

Bactris concinna Mart.

Figura 16. a. Hábito da palmeira em touceiras.

Figura 16. (b e c) b. Estipe com espinhos nos entrenós; c. Detalhe da coroa foliar.

Figura 16. (d e e) d. Folha com pinas dispostas no mesmo plano; e. Inflorescência.

Figura 16. (f e g) f. Infrutescência; g. Sementes.

(2.2) *Bactris gasipaes* Kunth.

Nova Genera et Species Plantarum 1: 302, pl. 700. 1815 [1816] {*Nov. Gen. Sp.*}.
Tipo: *Humboldt & Bonpland 2036,* sem, Colômbia: Tolima: Ibagué (P).

Sinonímias

Bactris ciliata (Ruiz & Pav.) Mart.
Historia Naturalis Palmarum 2: 95, t. 71, f. 3. 1823 {*Hist. Nat. Palm.*}.

Bactris utilis (Oerst.) Benth. & Hook. f. ex Hemsl.
Biologia Centrali-Americani; Botany. 3(18): 413. 1885 {*Biol. Cent.-Amer., Bot.*}.

Guilielma ciliata (Ruiz & Pav.) H. A. Wendland ex Kerchove
Les Palmiers 246. 1878 {*Palmiers*}.

Guilielma gasipaes (Kunth) L.H. Bailey
Gentes Herbarum; occasional papers on the kind of plants 2: 187. 1930{*Gentes Herb.;* BPH 397.07}.

Guilielma insignis Mart.
Voyage dans l'Amérique Méridionale 71, t. 10, f. 3, t. 29A. 1847{*Voy. Amer. Mer.*}.

Guilielma microcarpa Huber
Boletim do Museu Paraense de História Natural e Ethnographia 4: 476. 1904 {*Bol. Mus. Paraense Hist. Nat. ;* BPH 209.26}.

Guilielma speciosa Mart.
Historia Naturalis Palmarum 2: 81, pls. 66, 67. 1823 {*Hist. Nat. Palm.*}.

Guilielma utilis Oerst.
Videnskabelige Meddelelser fra Dansk Naturhistorisk Forening i Kjøbenhavn 1858: 46. 1859. {*Vidensk. Meddel. Dansk Naturhist. Foren. Kjøbenhavn ;* BPH 964.12}.

Martinezia ciliata Ruiz & Pav.
Systema Vegetabilium Florae Peruvianae et Chilensis 295. 1798 {*Syst. Veg. Fl. Peruv. Chil.*}.

Nome vulgar
Pupunha

Figura 17

Pupunha

Palmeira multicaule, raramente monocaule com até 20 m de altura, estipe (caule) geralmente com presença de espinhos (embora ocorra variedades com estipe liso), medindo até 25 cm de diâmetro. Folhas do tipo pinadas com até 2,6 m de comprimento, agrupadas e dispostas em diferentes planos; bainha aberta. Inflorescência interfoliar, frutos largamente ovóides lisos, com tamanho, coloração e paladar bastante variados entre as variedades. (Figura 17).

Ecologia e habitat na Floresta Amazônica

A espécie é cultivada economicamente para produção de frutos e palmito, no entanto, é muito comum o cultivo de pupunheiras nos quintais residenciais, sítios e margens de estradas em toda Amazônia.

Usos

Os frutos são ricos em proteína, óleo, carboidratos, fibras, caroteno, niacina e vários elementos minerais como cálcio, ferro e fósforo. São comestíveis após o cozimento ou usados na preparação de ração animal. Os frutos cozidos podem ser ainda usados na preparação de diversas comidas caseiras. A polpa do fruto fornece também óleo comestível. Estes frutos são abundantes nas feiras da cidade de Manaus, nos meses de dezembro a fevereiro, porém grande quantidade não satisfaz o paladar do consumidor, por serem frutos não selecionados para o devido fim. O palmito tem grande valor comercial devido a seu sabor agradável, adocicado, de crescimento rápido e perfilhamento; é retirado principalmente das pupunheiras sem espinhos por ter textura macia, bom rendimento e diâmetro maior que o palmito do açaí (*Euterpe oleracea*) e juçara (*Euterpe edulis*). No Estado do Pará, o cultivo da pupunha para palmito ocupa hoje uma área superior a 5 mil ha, com aproximadamente 25 milhões de árvores plantadas, provocando assim o surgimento de várias indústrias de processamento do palmito na Amazônia. O caule da pupunheira envelhecida é muito duro e rígido; pode ser usado para fazer esteio, assoalhos, artesanatos, armadilhas para peixes, arcos, pontas de flechas, cadeiras, mesas e diversos tipos de instrumentos musicais.

Habitat no campus do INPA

Esta espécie possui freqüência alta e abundância moderada, frutifica, mas regenera-se no Campus somente por brotamentos laterais nas suas touceiras, garantindo assim sua sobrevivência. Ocorre na área da frente do prédio do SRH, Diretoria, Celulose e Papel, COEX, CPPN, do lado da caixa d'água e próximo à praça da Bandeira. No Bosque da Ciência esta palmeira é encontrada próximo das colméias das abelhas, ilha da Tanimbuca, em frente à Casa da Ciência e entre o Paiol da Cultura e o prédio do Grupo de Pesquisa de Abelhas.

Bactris gasipaes Kunth

Figura 17. (a e b) a. Hábito da palmeira em touceiras; b. Detalhe do estipe em pupunheira sem espinhos.

Figura 17. (c e d) c. Detalhe da coroa foliar; d. Folha com pinas dispostas em diversos planos.

Figura 17. (e e f) e. inflorescência; f. Infrutescências.

Figura 17. (g e h) g. Infrutescências maduras; h. Frutos maduros com formas
e tamanhos variados.

Figura 17. (i e j) i. Detalhe dos frutos seccionados ao meio; j. Sementes com formas e tamanhos variados.

(2.3) *Bactris gastoniana* Barb. Rodr.

Vellosia 1: 40. 1888 {*Vellosia*}.

Nome vulgar
Marajá

Figura 18

Marajá

Palmeira com estipe solitário muito curto ou em touceiras com até 90 cm de comprimento e 1 cm de diâmetro. Folhas do tipo pinadas com até 35 cm de comprimento e com presença de polvilho marrom na superfície da bainha, pecíolo e ráquis das folhas; pinas curtas sigmóides agrupadas e dispostas em diferentes planos. Inflorescência interfoliar, frutos elipsóides lisos, roxos, medindo 1 x 3 cm. (Figura 18).

Ecologia e habitat na Floresta Amazônica

Espécie muito freqüente em toda a Amazônia, predominando no sub-bosque da floresta de terra firme, quase sempre em solos bem drenados, argilosos ou arenosos.

Usos

As sementes podem ser usadas em artesanatos, na confecção de colares e pulseiras. Devido a seu porte e elegância, o marajazinho pode ser cultivado em vasos e jardins, no entanto deve-se ter o cuidado com os espinhos.

Habitat no campus do INPA

Esta espécie é muito rara nesta Reserva; o número de frutos varia de 8 a 10 frutos por cacho. Não foi constatada regeneração por meio de suas sementes, assim sua sobrevivência no Campus está comprometida, pois só existem dois indivíduos que estão localizados no final da trilha principal do Bosque, sendo um na margem direita do lago amazônico, e o outro na trilha lateral da vegetação densa.

Bactris gastoniana Barb. Rodr.

Figura 18. (a e b) a. Hábito de crescimento solitário; b. Detalhe da coroa foliar.

Figura 18. (c e d) c. Folha com pinas dispostas irregularmente; d. Presença de polvilho marrom na ráqui.

Figura 18. (e e f) e. Pinas tipo sigmóides; f. Infrutescência com poucos frutos .

Figura 18 (g) g. Semente.

(2.4) *Bactris hirta* Martius

Historia Naturalis Palmarum 2: 104, pl. 60, 74, f. 1-3.1826 {*Hist. Nat. Palm.*}.
Tipo: *Martius s.n.,* sem data, Brasil (M).

Sinonímias

Bactris cuspidata Mart.
Historia Naturalis Palmarum 2: 101, pl. 73B, f. 1-2. 1826 {*Hist. Nat. Palm.*}.

Bactris cuspidata var. *mitis* Drude
Flora Brasiliensis 3, pt. 2: 329. 1881{*Fl. Bras.*}.

Bactris integrifolia Wallace
Palm Trees Amazon 91. 1853.

Bactris lakoi Burret.
Repertorium Specierum Novarum Regni Vegetabilis 34: 187. 1934 {*Repert. Spec. Nov. Regni Veg.;* BPH 772.20}.

Bactris mitis Mart.
PUBLICADO EM:
Historia Naturalis Palmarum 2: 102. 1823 {*Hist. Nat. Palm.*}.

Bactris mollis Dammer.
Verhandlungen des Botanischen Vereins für die Provinz Brandenburg und die Angrenzenden Länder 48: 129. 1907{*Verh. Bot. Vereins Prov. Brandenburg;* BPH 949.22}.

NOME VULGAR
Marajazinho

Marajazinho

Palmeira multicaule, com até 3 m de altura e estipe (caule) com espinhos não firmes, medindo 2 cm de diâmetro. Folhas do tipo pinadas ou inteiras com presença de pêlos na superfície das pinas e da ráqui principal, com 40 cm de comprimento; bainha aberta. Inflorescência infrafoliar ereta com duas ráquilas, frutos globosos a obovóides com espinhos, medindo 0,7 x 0,8 mm de diâmetro; de coloração vermelho-alaranjada na maturidade. (Figura 19).

Ecologia e habiţat na Floresta Amazônica

Espécie muito freqüente em toda a Amazônia, predominando no sub-bosque da floresta de terra firme, quase sempre em solos bem drenados, argilosos ou arenosos. Esta palmeira também é encontrada em florestas perturbadas e de campinaranas.

Usos

Tem potencial ornamental, podendo ser cultivada em vasos. As sementes são bastante duras e resistentes, podendo ser utilizadas em artesanatos, como confecção de colares ou adereços para outros trabalhos tipo artesanal. O caule duro e rígido é usado pelas tribos indígenas na confecção de pontas de flechas para caça.

Habitat no campus do INPA

Esta espécie é freqüente no Campus, porém constatam-se pouca abundância e regeneração. Suas sementes regeneram-se e os indivíduos perfilham-se por meio dos brotamentos laterais de suas touceiras. Ocorre somente no Bosque da Ciência, ocupando principalmente as margens das trilhas próximas ao recanto dos inajás e em várias trilhas paralelas na área da vegetação mais densa.

Bactris hirta Mart.

Figura 19. a. Hábito de crescimento em touceira.

Figura 19. (b e c) b. Folha com pinas dispostas no mesmo plano; c. Presença de pêlos na superfície da ráqui e das pinas.

Figura 19. (d e e) d. Planta jovem com folha inteira; e. Detalhe de uma infrutescência.

(2.5) *Bactris* cf. *riparia* Mart.

Historia Naturalis Palmarum 2: 97, pl. 71, f. 4. 1823{*Hist. Nat. Palm.*}.

Nome vulgar
Marajá

Marajá

Palmeira multicaule com até 14 m de altura, estipe (caule) com espinhos nos entrenós medindo até 10 cm de diâmetro. Folhas do tipo pinadas medindo 2 m de comprimento, pinas dispostas em diferentes planos; bainha aberta. Inflorescência interfoliar, infrutescência infrafoliar, frutos globosos-achatados lisos, medindo 1,88 x 1,92 cm de diâmetro, de coloração verde-amarela na maturidade. (Figura 20).

Ecologia e habitat na Floresta Amazônica

Espécie muito freqüente e abundante em áreas periodicamente inundadas, principalmente em margens de rios e lagos de água branca, formando densas touceiras e populações quase homogêneas. O período de maturação dos frutos coincide com o pico de cheias dos rios e lagos, os quais caem na água, e são muito importantes na dieta de peixes e quelônios. A água e a fauna aquática são as principais dispersoras de suas sementes.

Usos

Tem potencial paisagístico. As sementes achatadas são bastante duras e resistentes, podendo ser utilizadas em peças de artesanato, na confecção de colares ou como enfeites para outros trabalhos tipo artesanal. O caule duro e rígido é usado pelos índios na confecção de arcos e pontas de flechas para caça.

Habitat no campus do INPA

Esta espécie é muito rara no Campus. Constatou-se somente uma touceira, localizada entre a praça da Bandeira e o prédio da Pós-graduação. Não foi verificada, após 8 anos de acompanhamento, a espécie frutificando nesta Reserva. Regenera-se somente por meio de brotamentos laterais das suas touceiras, garantindo assim sua sobrevivência.

Bactris cf. *riparia* Mart.

Figura 20. a. Hábito de crescimento.

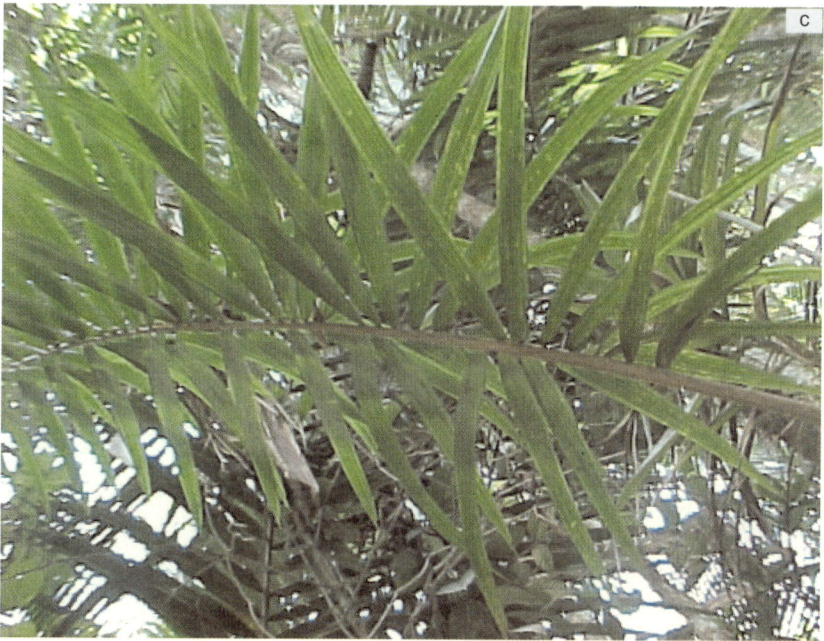

Figura 20. (b e c) b. Estipe com espinhos nos entrenós; c. Folha com pinas dispostas em planos diferentes.

Figura 20. (d e e) d. Infrutescência com frutos maduros; e. Frutos e semente.

(2.6) *Bactris simplicifrons* Mart.

Historia Naturalis Palmarum 2:103.1826{*Hist. Nat. Palm.*}.
Tipo: *Sieber s.n.*, sem data, Brasil (M).

Sinonímias

Bactris amoena Burret
Repertorium Specierum Novarum Regni Vegetabilis 34: 180. 1933 {*Repert. Spec. Nov. Regni Veg.;* BPH 772.20}.

Bactris carolensis Spruce
Journal of the Linnean Society, Botany 11; 149. 1871 {*J. Linn. Soc., Bot.;* BPH 471.16}.

Bactris luetzelburgii Burret
Notizblatt des Botanischen Gartens und Museums zu Berlin - Dahlem 10: 1022. 1930 {*Notizbl. Bot. Gart. Berlin-Dahlem;* BPH 668.21}.

Bactris naevia Poepp. ex Burret
Repertorium Specierum Novarum Regni Vegetabilis 34: 179. 1933 {*Repert. Spec. Nov. Regni Veg.;* BPH 772.20}.

Bactris sororpanae Steyerm.
Fieldiana, Botany 28: 78. 1951 {*Fieldiana, Bot.;* BPH 371.03}.

Bactris ulei Burret
Repertorium Specierum Novarum Regni Vegetabilis 34: 177 1933 {*Repert. Spec. Nov. Regni Veg.;* BPH 772.20}.

Nome vulgar
Marajazinho

Figura 21

Marajazinho

Palmeira em touceiras, com até 2,5 m de altura e estipe (caule) liso, medindo 1 cm de diâmetro. Folhas do tipo pinadas ou inteiras, com presença de pequenos espinhos somente no ápice das mesmas; tamanho da folha até 25 cm de comprimento. Inflorescência infrafoliar ereta, tipo espiga, frutos globosos lisos, medindo 1,1 x 0,8 cm de diâmetro, com coloração vermelho-alaranjada na maturidade. (Figura 21)

Ecologia e habitat na Floresta Amazônica

Espécie muito freqüente em toda a Amazônia, predominando no sub-bosque da floresta de terra firme, quase sempre em solos bem drenados, argilosos ou arenosos. É também comum a ocorrência desse marajá em campinaranas, beira de rios, capoeiras e florestas degradadas.

Usos

Tem potencial ornamental, podendo ser cultivada em vasos. O caule, folhas e sementes podem ser usados em adereços artesanais.

Habitat no campus do INPA

Esta espécie possui boa freqüência e abundância. O meio de sobrevivência dessa palmeira é a regeneração vegetativa por meio dos brotamentos laterais de suas touceiras. Sua regeneração por meio de sementes é bastante reduzida. Ocorre somente no Bosque da Ciência, ocupando principalmente as margens das trilhas próximas ao recanto dos inajás; no entanto, sua maior abundância encontrar-se concentrada na área da vegetação mais densa dessa floresta.

Bactris simplicifrons Mart.

Figura 21. (a e b) a. Hábito de crescimento em touceira; b. Detalhe da folha inteira com espinhos apenas nas extremidades.

Figura 21. (c e d) c. Planta jovem; d. Planta jovem acaule.

Figura 21. (e e f) e. Inflorescência; f. Infrutescência madura.

Figura 21. (g e h) g. Infrutescências com frutos maduros; h. Frutos e sementes.

IDENTIFICAÇÃO E DESCRIÇÃO DAS ESPÉCIES SEM ESPINHOS DENTRO DE CADA GÊNERO

(3) *Attalea* Kunth

Nova Genera et Species Plantarum (quarto ed.) 1: 309-310. 1815 [1816]{*Nov. Gen. Sp. (quarto ed.)*}.
Tipo: *Attalea amygdalina* Kunth − *Nova Genera et Species Plantarum* 1: 319, t. 95-96. 1815 [1816].

Chave para identificação das espécies do gênero *ATTALEA*

1. Plantas com estipe subterrâneo.

    2. Com estipe solitário. . . . .*Attalea* cf. *attaleoides* (3. 1).

    2. Com estipe em touceiras. . . . .*Attalea* sp. (3. 2).

(3.1) *Attalea* cf. *attaleoides* (Barb. Rodr.) W. Boer

Flora of Suriname 5 (1): 157. 1965. *Fl. Suriname.*

Nome vulgar
Palha branca

Palha branca

Palmeira com estipe subterrâneo. Folhas do tipo pinadas saindo do solo com até 5 m de comprimento, com pinas regularmente agrupadas e dispostas no mesmo plano. Inflorescência interfoliar, frutos oblongo-ovóides lisos, medindo 5,5 x 2,2 cm de diâmetro, de coloração marrom na maturidade. Tegumento composto de 1 a 3 amêndoas. (Figura 22)

Ecologia e habitat na Floresta Amazônica

Muito abundante no sub-bosque da floresta de terra firme, áreas desmatadas, capoeiras e pastos abandonados, predominando quase sempre em latossolo amarelo ácido bem drenado na Amazônia Central. Regenera-se com grande vigor após desmatamentos seguidos por queimadas; por conseqüência do meristema apical, encontrar-se abaixo do nível do solo e tolera solos de baixa fertilidade, *déficit* hídrico e incidência solar abundante.

Usos

As amêndoas, quando maduras, são comestíveis e delas obtém-se óleo com propriedades culinárias. O tegumento duro e resistente das sementes e das espatas das inflorescências pode ser empregado para diversos tipos de adereços para artesanatos. As folhas, quando jovens, são utilizadas para cobertura de casas e decoração para festas religiosas; as folhas adultas são utilizadas pelo homem na construção de abrigos provisórios na floresta. A palha branca possui grande potencial ornamental e paisagístico, podendo ser utilizada na arborização de praças e parques ecológicos.

Habitat no campus do INPA

Esta espécie é muito rara na Reserva do Campus, não sendo constatada nenhuma regeneração dessa palmeira na área estudada, portanto sua sobrevivência neste área encontrar-se comprometida, pois existe apenas um indivíduo localizado no lado direito da entrada do Herbário I, do Departamento de Botânica.

Attalea cf. *attaleoides* (Barb. Rodr.) W. Boer

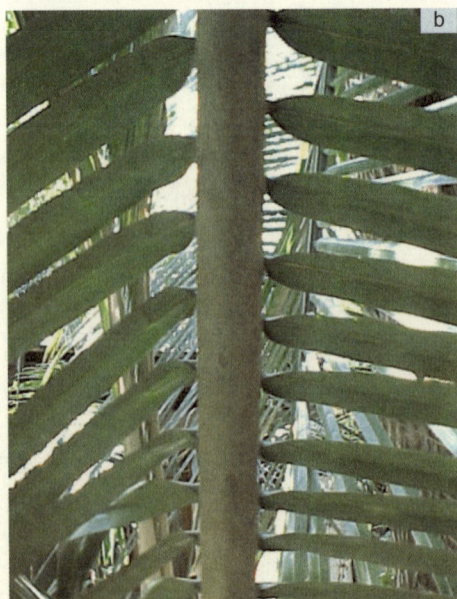

Figura 22. (a e b) a. Hábito de crescimento de palmeira acaule; b. Detalhe da folha com pinas distribuídas no mesmo plano.

Figura 22. (c e d) c. Planta jovem com folhas inteiras; d. Inflorescência e pecíolos.

Figura 22. (e e f) e. Inflorescência ; f. Detalhe da superfície externa da espata.

(3. 2) *Attalea* sp.

Nome vulgar
Palheira

Figura 23

Palheira

Palmeira com estipe subterrâneo formando touceiras. Folhas do tipo pinadas, com até 7 m de comprimento, com pinas pendentes na região do pecíolo e abertas ao longo da ráquis principal, regularmente agrupadas e dispostas no mesmo plano, ráquis e pecíolos com coloração esverdeada e presença de diversos pontos esbranquiçados. (Figura 23).

Habitat no campus do INPA

Espécie rara no Campus, constatando apenas três espécimens, um localizado na parte posterior do Laboratório de Pesquisa da Malária e os outros dois na parte dianteira do mesmo prédio. Regenera-se somente por brotamentos laterais nas suas touceiras, garantindo assim sua sobrevivência. Não ocorre no Bosque da Ciência.

Attalea sp.

Figura 23. (a e b) a. Hábito de crescimento em touceira; b. Pinas pendentes na região dos pecíolos.

Figura 23. (c, d e e) c. Detalhe da touceira com brotamentos laterais em palmeira acaulescente; d. Detalhe da folha com pinas distribuídas no mesmo plano; e. Ráquis e pecíolos das folhas com coloração esverdeada e presença de diversos pontos esbranquiçados.

(4) *Cocos* L.

Species Plantarum 2: 1188. 1753{*Sp. Pl.*}.
Tipo: *Cocos nucifera* L. – *Species Plantarum* 2: 1188. 1753.

Uma espécie do gênero COCOS

(4.1) *Cocos nucifera*.

(4.1) *Cocos nucifera* L.

Species Plantarum 2: 1188. 1753{*Sp. Pl.*}.
Tipo: *Rheede, Hort. Malab. 1: t.* 1-4 (1678), LT designado por Moore & Dransfield, Taxon 28: 64 (1979).

Nome vulgar
Coco

Figura 24

Coco

Palmeira exótica com até 25 m de altura, estipe (caule) sem espinhos e com cicatrizes deixadas pela degeneração das bainhas, folhas do tipo pinadas com até 7 m de comprimento com pinas regularmente agrupadas e distribuídas no mesmo plano. Inflorescência interfoliar, frutos globosos lisos de coloração geralmente esverdeada de tamanho de 18 x 15 cm. (Figura 24).

Ecologia e habitat na Floresta Amazônica

A espécie é cultivada basicamente para produção de água de coco por vários agricultores espalhados pela Amazônia, porém é muito comum o cultivo de coqueiros nos quintais residenciais, repartições públicas e privadas, praças, sítios, orla de calçadas e praias.

Usos

O coqueiro é cultivado em praticamente todos os países tropicais. São várias as modalidades de seu aproveitamento, sendo mais comum na Amazônia a comercialização da água de coco, leite de coco, doce de coco e sorvetes. Outras partes do coqueiro são aproveitadas de várias maneiras: das raízes, confeccionam- se cestos; do estipe envelhecido, fabricam- se esteios e mourões nas construções rurais; das folhas para abrigos, peneiras e chapéus; dos frutos são retiradas fibras para cordas, tapetes e estofamento de bancos de automóveis. O endocarpo (parte dura do fruto) é empregado para diversos adereços artesanais.

Habitat no campus do INPA

Espécie muito rara no Campus do INPA, não há nenhum tipo de regeneração natural. Constataram- se apenas dois indivíduos, um localizado entre os prédios da CPCS e GTI e outro entre o prédio da LBA e ilha da Tanimbuca.

Cocos nucifera L.

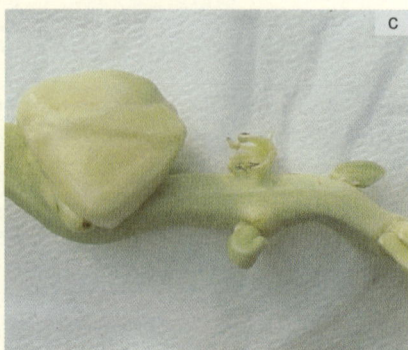

Figura 24. (a, b e c) a. Hábito de crescimento solitário; b. Inflorescência com flores masculinas e femininas; c. Flor feminina.

Figura 24. (d e e) d. Flores masculinas; e. Infrutescência.

Figura 24. f. Plântulas.

(5) *Elaeis* Jacq.

Selectarum Stirpium Americanarum Historia ... 280. 1763{*Select. Stirp. Amer. Hist.*}.
Tipo: *Elaeis guineensis* Jacq. – *Selectarum Stirpium Americanarum Historia* ... 280, pl. 172. 1763.

Chave para identificação das espécies do gênero *ELAEIS*

1. Plantas com presença de bainha morta persistente.

> 2. Com estipe (caule) curto, pinas das folhas dispostas no mesmo plano. . . . . *Elaeis oleifera* (5. 2).

> 2. Com estipe (caule) longo, pinas das folhas dispostas em planos diferentes. . . . .*Elaeis guineensis* (5. 1).

(5.1) *Elaeis guineensis* Jacq.

Selectarum Stirpium Americanarum Historia... 280, pl. 172. 1763 {*Select. Stirp. Amer. Hist.*}.

Sinonímias

Elaeis guineensis var. *madagascariensis* Jum. & H. Per.
Matieres Grasses 6. 1911{*Matieres Grasses*}.

Nome vulgar
Dendê

Figura 25

Dendê

Palmeira exótica monocaule, com até 25 m de altura e estipe (caule) com remanescentes de bainhas senescentes, a qual serve de substrato para algumas espécies de pteridófitas. Quando adulta, o estipe mede até 40 cm de diâmetro. Folhas do tipo pinadas; pecíolo geralmente de cor amarelo-clara, medindo até 1 m de comprimento; com presença de tecido fibroso na base e espinhos em ambos os lados; bainha aberta escondida, persistente e achatada; tamanho da folha até 8 m de comprimento, pinas agrupadas e dispostas em diferentes planos. Inflorescência interfoliar, frutos globoso-alongados lisos, medindo 4,4 x 2,5 cm de diâmetro, de coloração vermelho-escura na maturidade. (Figura 25).

Ecologia e habitat na Floresta Amazônica

É uma planta cultivada de origem africana, desenvolve-se bem em regiões de clima tropical nos diversos tipos de ·solos com boa drenagem e fertilidade. É comum encontrá-la vegetando em parques botânicos, repartições públicas e privadas e em pequenas propriedades rurais espalhadas pela Amazônia. Em grandes cultivos comerciais em que os terrenos são adubados e manejados racionalmente, inicia-se sua produção aos três anos de idade, sendo que o rendimento máximo oscila entre sete e doze anos de idade. Após os 25 anos, torna-se antieconômica por conseqüência da redução na produção de frutos e dificuldade da coleta, devido à altura elevada das plantas. Em conseqüência disso, atualmente nas grandes plantações tem-se utilizado cultivares geneticamente melhorados, onde observa-se diminuição do porte da planta e maior rendimento de frutos.

Usos

A principal aplicação do óleo de dendê e seus produtos é na alimentação humana; da polpa obtém-se a oleína, que tem emprego industrial e doméstico, e a estearina, utilizada diretamente como gordura industrial na confecção de bolos, biscoitos, bolachas e outros fins. É empregado também como excelente substituto de substâncias graxas, utilizado na confecção de sabão e sabonete (substância altamente variável em termos de qualidade, impurezas e odores), enquanto que a estearina é uniforme e desodorizada. Da amêndoa obtém-se o óleo de palmiste, que é um óleo láurico muito disputado especialmente pela indústria de saboaria, assim como pelas indústrias alimentícias e óleo-químicas. A partir do óleo de palmiste produz-se o substituto para manteiga de cacau. No seu processo de extração obtém-se um subproduto chamado torta de palmiste, que é usada na fabricação de compostos para alimentação bovina e suína, ou ainda como adubo. Os resíduos do processo de extração, ráquis, fibras e casca de amêndoas podem ser utilizados como combustível nas caldeiras para a geração de energia. Os pecíolos devidamente tratados fornecem materiais para cestos, e a infrutescência após o tratamento, são usados na fabricação de vassouras. As folhas são empregadas para construção de abrigos provisórios. Na medicina é utilizado no tratamento de infecções, erisipelas e filárias.

Habitat no campus do INPA

Constatou-se a ocorrência de um indivíduo na lateral do prédio do SGE, um na lateral direita da entrada da CPPF e sete nos arredores dos prédios da CPBO, sendo três jovens. No Bosque da Ciência, o dendê predomina apenas com alguns indivíduos na margem esquerda do lago amazônico. Seus frutos são bastante apreciados pela fauna de roedores existentes no Campus. Ocorre grande produção de frutos e sementes, no entanto a germinação das sementes ocorre geralmente debaixo da planta- mãe, e não há o estabelecimento e nem crescimento das plântulas.

Elaeis guineensis Jacq.

Figura 25. (a e b) a. Hábito de crescimento solitário; b. Estipe com remanescentes de bainhas senescentes.

Figura 25. (c e d) c. Detalhe da coroa foliar; d. Folha com pinas dispostas em diversos planos.

Figura 25. (e e f) e. Pecíolo de coloração amarela; f. Inflorescências e infrutescências.

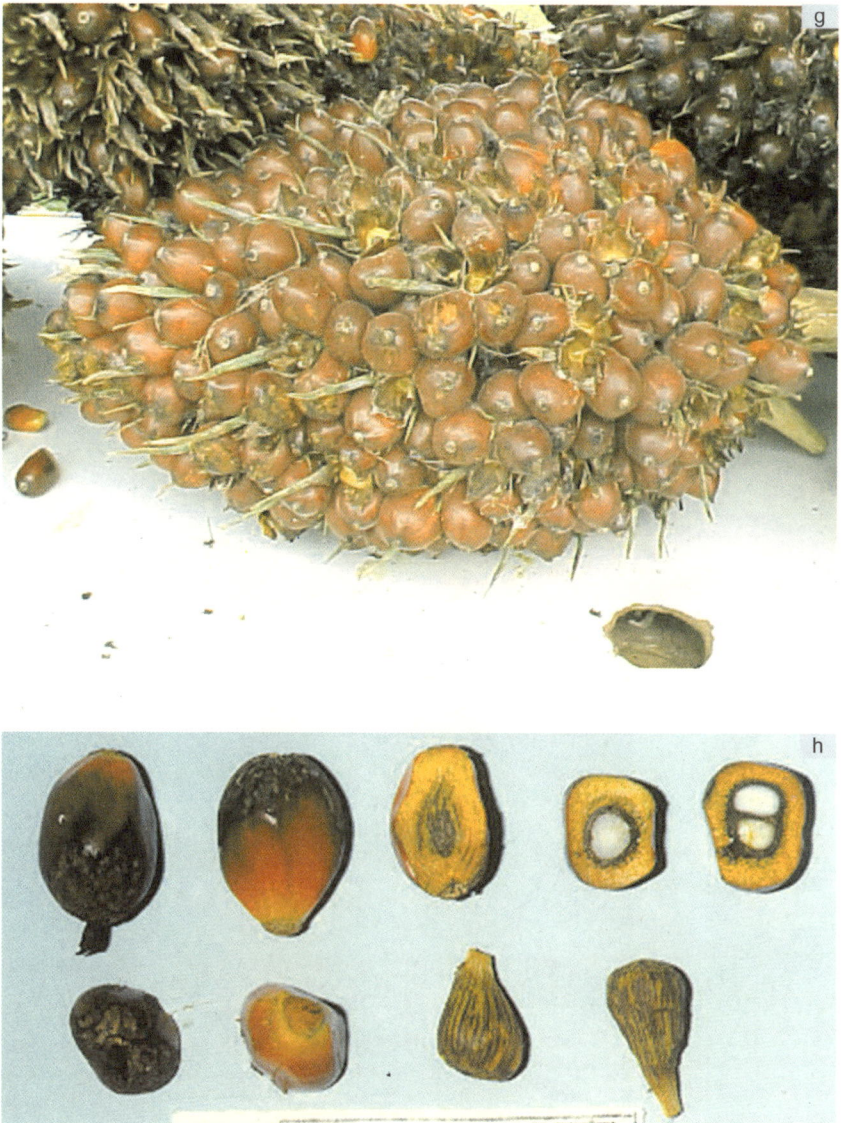

Figura 25. (g e h) g. Infrutescência madura; h. Frutos e sementes.

Figura 25. (i e j) i. Plântulas; j. Planta jovem.

(5.2) *Elaeis oleifera* (Kunth) Cortés

*Flora de Colombia: comprende la geografia botanica de Colombia, las leguminosas, la flora terapiutica,...*1: 203.1897{*Fl. Colom.*}.

Sinonímias

Alfonsia oleifera Kunth.
Nova Genera et Species Plantarum (quarto ed.) 1: 307. 1815 [1816]{*Nov. Gen. Sp. (quarto ed.)*}.

Corozo oleifera (Kunth) L.H. Bailey.
Gentes Herbarum; occasional papers on the kind of plants 3(2): 59, f. 32, 35-40. 1933{*Gentes Herb.;* BPH 397.07}.

Elaeis melanococca var. *semicircularis* Oerst.
Videnskabelige Meddelelser fra Dansk Naturhistorisk Forening i Kjøbenhavn 1858: 51. 1859 {*Vidensk. Meddel. Dansk Naturhist. Foren. Kjobenhavn;* BPH 964.12}.

Nome vulgar
Caiaué

Caiaué

Palmeira monocaule, com até 7 m de altura e estipe (caule) com remanescentes de bainhas senescentes, a qual serve de substrato para algumas espécies de pteridófitas; caule reduzido nas plantas mais jovens, longo e rastejante nas plantas mais antigas, medindo até 40 cm de diâmetro. Folhas do tipo pinadas com 6 metros de comprimento, bainha com presença de fibras junto à coroa foliar, pecíolo de coloração verde, pinas regularmente agrupadas e dispostas no mesmo plano. Inflorescência interfoliar coberta por fibras, frutos elipsóides lisos, medindo 3,5 x 2,4 cm de diâmetro, de coloração vermelho-laranja na maturidade. (Figura 26).

Ecologia e habitat na Floresta Amazônica

O caiaué apresenta fraco mecanismo de dispersão natural. Não foi constatada sua ocorrência isoladamente na floresta; encontra-se naturalmente em zonas úmidas, terrenos periodicamente inundados, ao longo de afluentes dos pequenos rios (formando pequenos grupos de plantas, ou em populações com grande abundância); tolera bem os latossolos amarelos com boa drenagem. Na Amazônia, esta palmeira é encontrada em associação com depósitos de cerâmica, deixados pelas antigas civilizações indígenas, consideradas por alguns pesquisadores como indicadora da terra preta do índio que é muito rica em fósforo e cálcio.

Usos

A polpa do fruto produz um óleo comestível, igual ao óleo ou azeite de dendê; pode ser empregado em uso doméstico ou industrial na fabricação de ração para animais e cremes capilares. Da amêndoa é extraído um óleo translúcido, empregado como matéria-prima na fabricação de margarinas. O caiaué tem grande potencial paisagístico, podendo ser cultivado em jardins, parques botânicos, repartições públicas e praças. Esta espécie não é recomendada para arborização urbana em bordas ou margens de vias de tráfego e meio fio, por ser uma palmeira que tem o estipe (caule) pendente e rastejante na medida em que a planta vai envelhecendo. A espécie é usada ainda para cruzamentos com o *Elaeis guineensis* (dendê), visando a obtenção de híbridos de menor porte e resistentes ao ataque de pragas e doenças comuns nos dendezeiros cultivados na Amazônia.

Habitat no campus do INPA

O caiaué é facilmente encontrado por ser uma das palmeiras mais freqüentes e abundantes no Campus do INPA. Ocorre desde a entrada da guarita principal, em seguida espalhando-se ao redor dos prédios e margens das alamedas com grande densidade; sua regeneração natural é por meio de suas sementes; assim sendo, é comum encontrar várias plântulas e indivíduos jovens. Recentemente, a produção de frutos sofreu grande decadência, em virtude da podagem indiscriminada de suas folhagens, que conseqüentemente prejudicou a alimentação de alguns animais, principalmente os roedores. No Bosque da Ciência, esta espécie predomina na ilha da Tanimbuca e arredores do prédio do Grupo de Pesquisas de Abelhas (GPA).

Elaeis oleifera (Kunth) Cortés

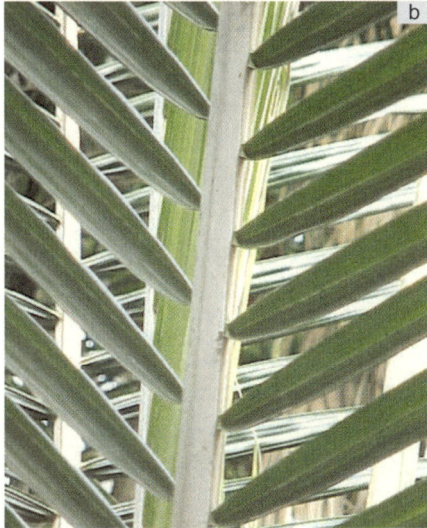

Figura 26. (a e b) a. Hábito de crescimento solitário; b. Folha com pinas regularmente dispostas no mesmo plano.

Figura 26. (c e d) c. Pecíolo de coloração verde; d. Estipe coberto por fibras e bainhas velhas.

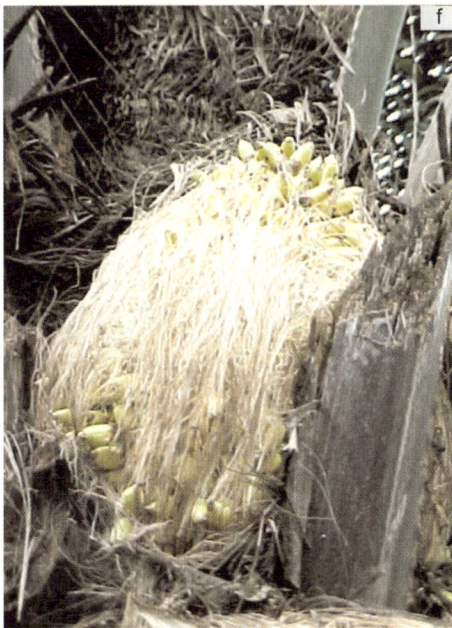

Figura 26. (e e f) e. Inflorescência; f. Infrutescência imatura.

Figura 26. (g e h) g. Infrutescência madura; h. Frutos e sementes.

Figura 26. (i e j) i. Plântula; j. Planta jovem com folha inteira.

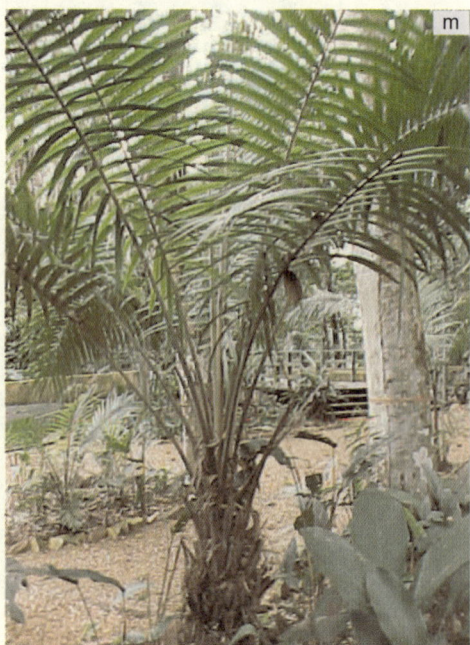

Figura 26. (l e m) l. Planta jovem acaule com folhas pinadas; m. Planta jovem com estipe.

(6) *Euterpe* Mart.

Historia Naturalis Palmarum 2: 28. 1823 {*Hist. Nat. Palm.*}.
Tipo: *Euterpe oleracea* Mart. – *Historia Naturalis Palmarum* 2: 29, pl. 28-30. 1823.

Chave para a identificação das espécies do gênero *EUTERPE*

1. Plantas com bainha fechada, folhas regularmente agrupadas.

        2. Com estipe (caule) solitário,
        pinas pendentes. . . . . *Euterpe precatoria* (6. 2).

        2. Com estipe (caule) em touceiras,
        pinas não pendentes. . . . .*Euterpe oleracea* (6. 1)

(6.1) *Euterpe oleracea* Mart.

Historia Naturalis Palmarum 2: 29, pl. 28-30. 1823{*Hist. Nat. Palm.*}.
Tipo: *Martius 3262,* Brasil: sem localidade (M).

Sinonímias

Euterpe badiocarpa Barb. Rodr.
Contributions du Jardin Botanique de Rio de Janeiro 1: 12. 1901{*Contr. Jard. Bot. Rio de Janeiro;* BPH 329.04}.

Euterpe beardii L.H. Bailey
Gentes Herbarum; occasional papers on the kind of plants 7: 426, t. 196-198. 1947{*Gentes Herb.;* BPH 397.07}.

Euterpe cuatrecasana Dugand
Revista de la Academia Colombiana de Ciencias Exactas, Físicas y Naturales 8:393. 1951{*Rev. Acad. Colomb. Ci. Exact.;* BPH 786.20}.

Nome vulgar
Açaí-do-Pará

Açaí-do-Pará

Palmeira multicaule, com até 20 m de altura e estipe (caule) liso medindo até 20 cm de diâmetro. Folhas do tipo pinadas medindo até 3 m de comprimento; bainha fechada lisa, de coloração verde ou alaranjada clara com até 1,5 m de comprimento; pinas não pendentes, regularmente agrupadas e dispostas no mesmo plano. Inflorescência infrafoliar na antese, frutos globosos lisos, medindo 1,2 x 1,3 cm de diâmetro, de coloração negro-violácea na maturidade. (Figura 27).

Ecologia e habitat na Floresta Amazônica

A espécie cresce de maneira espontânea e dispersa-se ao longo das margens dos rios e igarapés em solos arenosos mal drenados, formando grandes concentrações, principalmente nas florestas da Amazônia Oriental. Algumas vezes a espécie forma populações quase homogêneas nas várzeas altas, como também nos solos de terra firme, em florestas de baixio, com alto teor de matéria orgânica e umidade. A espécie atualmente é cultivada para produção de frutos e principalmente palmito por alguns agricultores. Entretanto é muito comum o cultivo de açaí nos quintais residenciais, repartições públicas, praças, sítios e margens de estradas espalhados por toda a Amazônia. Seus frutos são bastante consumidos e dispersados por pássaros. Uma única plântula de açaí, no decorrer do tempo, pode resultar numa touceira com vários indivíduos, entre os quais jovens e adultos.

Usos

Pelo despolpamento do fruto, obtém-se o "vinho do açaí"(bebida de grande aceitação), considerado um dos alimentos básicos da região amazônica, por ser essencialmente energético e possuir bom teor de minerais como cálcio e fósforo. Os frutos beneficiados servem de matéria-prima para fabricação de sorvetes e sucos concentrados. Atualmente, estes subprodutos possuem boa aceitação no mercado nacional e internacional. A amêndoa fornece um óleo verde-escuro bastante usado na medicina caseira, principalmente como antidiarréico. As sementes têm grande potencial na fabricação de adereços. O caule, quando adulto, é utilizado nas construções rurais. As folhas servem para cobertura de abrigos provisórios e fabricação de chapéus. Na coroa foliar, encontra-se um palmito de ótima qualidade, muito procurado pelas indústrias alimentícias; as bainhas das folhas, após separação para extração do palmito e dos resíduos deste, são utilizadas como excelente ração para bovinos, suínos e substratos para plantas. O açaí tem crescimento rápido e possui grande potencial ornamental para jardins, parques botânicos e praças.

Habitat no campus do INPA

O açaí é facilmente encontrado por ser uma das palmeiras mais freqüentes e abundantes no Campus do INPA. Ocorre desde a entrada principal e posteriormente espalha-se ao redor dos prédios e margens das ruas com grande densidade. Possui alta regeneração natural por meio de suas sementes e brotações basais, motivo pelo qual uma grande densidade de plântulas e indivíduos jovens são encontrados. No Bosque da Ciência, esta espécie predomina na ilha da Tanimbuca, Casa da Ciência, Paiol da Cultura e no extremo da vegetação densa no lado direito da trilha principal.

Euterpe oleracea Mart.

Figura 27. (a e b) a. Hábito de crescimento em touceira; b. Detalhe da coroa foliar.

Figura 27. (c e d) c. Bainha fechada e pecíolo curto; d. Estipes e raízes novas emetidas durante à época das chuvas.

Figura 27. (e e f) e. Inflorescências e infrutescências; f. Ráquila com flores masculinas e femininas.

Figura 27. (g e h) g. Infrutescência madura; h. Frutos e sementes.

Figura 27. (i e j) i. Plântula com folha bífida; j. Planta jovem.

Figura 27. (l e m) l. Planta jovem com folhas pinadas; m. Planta jovem formando touceira.

(6.2) *Euterpe precatoria* Mart.

Voyage dans l'Amérique Méridionale 2(3): 10, pl. 8, f. 2, pl. 18, f. A. 1847{*Voy. Amer. Mer.*}.
Tipo: *d'Orbigny 27,* sem data, Bolívia: Moxos (M).

Sinonímias

Euterpe andicola Brongn. ex Mart.
Voyage dans l'Amérique Méridionale 8, t. 2, f. 2, t. 17A. 1842 {*Voy. Amer. Mer.*}.

Euterpe erubescens H.E. Moore.
Principes 13: 138. 1969.{*Principes;* BPH 721.23}.

Euterpe longevaginata Mart.
Voyage dans l'Amérique Méridionale 11, t. 15, f. 1, t. 17C. 1842 {*Voy. Amer. Mer.*}.

Euterpe montis-duida Burret
Bulletin of the Torrey Botanical Club 58: 319. 1931{*Bull. Torrey Bot. Club;* BPH 284.15}.

Euterpe ptariana Steyerm.
Fieldiana, Botany 28: 87. 1951{*Fieldiana, Bot.;* BPH 371.03}.

Euterpe roraimae Dammer
Notizblatt des Botanischen Gartens und Museums zu Berlin-Dahlem 6: 264. 1915{*Notizbl. Bot. Gart. Berlin- Dahlem;* BPH 668.21}.

Nome vulgar

Açaí solitário

Figura 28

Açaí solitário

Palmeira monocaule, com até 20 m de altura e estipe (caule) liso medindo 25 cm de diâmetro. Folhas do tipo pinadas com 6 m de comprimento; bainha fechada lisa de coloração verde com 1,5 m de comprimento, pecíolo curto, pinas pendentes e dispostas regularmente. Inflorescência infrafoliar na antese, frutos globosos lisos, medindo 1,1 x 1,1 cm de diâmetro, de coloração negro-violácea na maturidade. (Figura 28).

Ecologia e habitat na Floresta Amazônica

Espécie arborescente, predominante da floresta de terra firme, muito freqüente na Amazônia, porém pouco abundante, não forma populações adensadas. Normalmente a abundância não é maior que 3 a 5 indivíduos adultos/hectare. Seus frutos são bastante apreciados pelas aves silvestres (seus principais dispersores). Esta palmeira é cultivada em pequenas propriedades rurais, quintais residenciais e sítios para obtenção de frutos e no paisagismo. Por não apresentar brotamentos laterais (perfilhos), não recomenda-se a extração do palmito, salvo em programas de melhoramento genético para o manejo sustentado da espécie.

Usos

Por meio da polpa do fruto obtém-se o "vinho de açaí", que é consumido de forma *in natura* ou como matéria-prima para fabricação de sorvetes e sucos concentrados semelhantes ao vinho da *Euterpe oleracea*. O estipe muito resistente é utilizado principalmente na construção rural. As folhas são utilizadas para cobertura de abrigos provisórios, paredes e confecção de vassouras. Na base da copa, constituída pela reunião das bainhas e o ponto terminal do caule, encontra-se um palmito de ótima qualidade. As raízes são usadas na medicina caseira para dores musculares.

Habitat no campus do INPA

Esta palmeira é encontrada próximo à caixa d'água da entrada do Campus; nos arredores da CPBO; Laboratório do Max Planck e paralelo à cantina e à Coordenação de Extensão. A regeneração natural é por meio das sementes, sendo comum nessas áreas encontrar algumas plântulas e indivíduos jovens. No Bosque da Ciência, esta espécie predomina próximo à Casa da Ciência; na entrada da trilha principal, nas margens do lago amazônico e extremo da vegetação densa.

Euterpe precatoria Mart.

Figura 28. a. Hábito de crescimento solitário.

Figura 28. (b e c) b. Coroa foliar com pinas pendentes; c. Raízes e estipe.

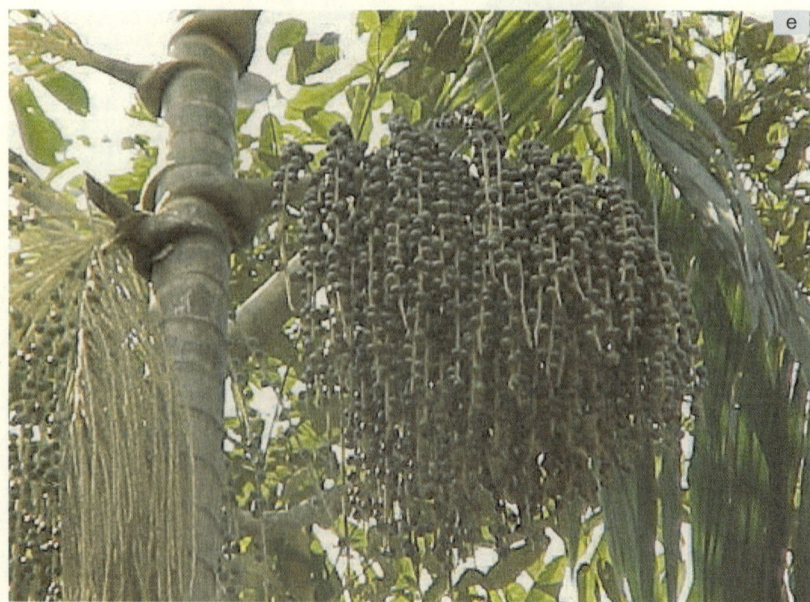

Figura 28. (d e e) d. Bainhas fechadas e pecíolos curtos; e. Infrutescência madura.

Figura 28. (f e g) f. Frutos maduros e sementes; g. Plântula com semente.

Figura 28. (h e i) h. Plântulas; i. Planta jovem com diferenciação foliar.

(7) *Geonoma* Willd.

Species Plantarum. Editio quarta 4(1): 174, 593. 1805{*Sp.Pl.*}.
Tipo: *Geonoma simplicifrons* Willd. – *Species Plantarum. Editio quarta* 4: 593. LT desigando
por H. E. Moore, Gent. Herb. 9: 262 (1963).

Uma espécie do gênero *GEONOMA*

(7. 1) *Geonoma maxima* var. *chelidonura*.

(7.1) *Geonoma maxima* var. *chelidonura* (Spruce)Henderson

J. Linn. Soc., Bot. 1:111. 1871.
Tipo: R. *Spruce* 73, Brasil. Amazonas: Rio Uaupés.

Sinonímias

Geonoma densiflora Spruce
Journal of the Linnean Society, Botany 11: 112. 1871 {*J. Linn.Soc., Bot.;* BPH 471.16}.

Geonoma spruceana Trail
Journal of Botany, British and Foreign 14: 328. 1876 {*J. Bot.;* BPH 459.22}.

Geonoma juruana Dammer
*Verhandlungen des Botanischen Vereins für die Provinz Brandenburg und die Angrenzenden
Länder* 48: 119.1907{*Verh. Bot. Vereins Prov. Brandenburg;* BPH 949.22}.

Nome vulgar
Ubim

Figura 29

Ubim

Palmeira multicaule, com até 5 m de altura e estipe (caule) liso com cicatrizes deixadas pela queda das bainhas, medindo até 3 cm de diâmetro. Folhas do tipo plicadas com poucas pinas; bainha aberta, tamanho da folha até 1,2 m de comprimento, pinas regularmente agrupadas e dispostas no mesmo plano. Inflorescência interfoliar com várias ráquilas, frutos elipsóides, medindo 0,79 x 0,75 cm de diâmetro, de coloração escura na maturidade. (Figura 29).

Ecologia e habitat na Floresta Amazônica

Espécie muito comum no sub-bosque da floresta de terra firme, com predominância em platô, vertente e baixio, ocorrendo em solos bem drenados e úmidos. Inventários indicam que, das três variedades de *Geonoma maxima*, a variedade *chelidonura* é a mais freqüente e abundante no interior da floresta amazônica, podendo ainda ser encontrada em fragmentos antigos de florestas preservadas em áreas urbanas e capoeiras.

Usos

Esta espécie possui grande potencial paisagístico podendo ser utilizada na ornamentação de jardins residenciais, praças e ainda ser cultivada em vasos.

Habitat no campus do INPA

O ubim possui boa freqüência no interior da vegetação mais densa do Bosque da Ciência, porém com baixa densidade. Ocorre pouca regeneração por meio de suas sementes e brotamentos laterais de suas touceiras. Nas áreas abertas do Bosque predomina na entrada da trilha principal, seguindo até as margens das trilhas secundárias. Com exceção do Bosque da Ciência, verifica-se a ocorrência de um indivíduo localizado entre as laterais do GTI e CPCS.

Geonoma maxima var. *chelidonura* (Spruce) Henderson

Figura 29. a. Hábito de crescimento em touceira.

Figura 29. (b e c) b. Detalhe das folhas; c. Brotamentos laterais (touceiras).

Figura 29. (d e e) d. Estipe com cicatrizes deixadas pela abscisão das bainhas; e. Inflorescência.

Figura 29. (f e g) f. Ráquila com flores; g. Infrutescência madura.

Figura 29. (h e i) h. Ráquila com frutos maduros; i. Plântula.

Figura 29. j. Planta jovem acaule.

(8) *Leopoldinia* Mart.

Palmarum familia 14. 1824{*Palm. Fam.*}.
Tipo: *Leopoldinia pulchra* Mart.– *Historia Naturalis Palmarum* 2: 59. 1824. LT. designado por H. E. Moore, Gent. Herb. 9: 265 (1963).

Uma espécie do gênero *GEONOMA*

(8. 1) *Leopoldinia pulchra.*

(8.1) *Leopoldinia pulchra* Mart.

Historia Naturalis Palmarum 2: 59. 1824{*Hist. Nat. Palm.*}.
Tipo: *Martius s.n.,* sem data, Brasil (M).

Nome vulgar
Jará

Jará

Palmeira monocaule ou em touceiras, com até 7 m de altura, estipe (caule) coberto pelo entrelaçamento de fibras resultantes da abscisão das bainhas e dos pecíolos das folhas senescentes, medindo até 10 cm de diâmetro. Folhas do tipo pinadas medindo 3 m de comprimento, pinas agrupadas e dispostas no mesmo plano. Inflorescência interfoliar, frutos redondos/achatados lisos, medindo 2,2 x 2,0 cm de diâmetro, coloração castanho-avermelhada na maturidade. (Figura 30).

Ecologia da Floresta Amazônica

O jará é muito freqüente e abundante nos solos arenosos de igapós, igarapés e ao longo das margens de rios de água branca e preta principalmente. É uma espécie adaptada à inundações periódicas, suas plântulas sobrevivem até 4 meses de inundação completa. O período de maturação dos frutos coincide com o pico de cheias dos rios; os frutos caem na água, e são parte importante na dieta da fauna aquática. A água é a principal dispersora dessa espécie.

Usos

A polpa do fruto é utilizada para sucos. O caule é usado como substrato para o cultivo de orquídeas. O jará possui grande potencial ornamental e paisagístico para o cultivo em parques botânicos, jardins residenciais e hotéis.

Habitat no campus do INPA

Verificou-se a ocorrência de um indivíduo cultivado no Campus do INPA, localizado na vegetação próximo ao herbário da CPBO. Sua sobrevivência encontra-se comprometida, pois não foi constatada à regeneração natural por meio de sementes e brotações laterais.

Leopoldinia pulchra Mart.

Figura 30. (a e b) a. Hábito de crescimento solitário; b. Estipe coberto pelo entrelaçamento de fibras resultante da abscisão das bainhas e dos pecíolos das folhas senescentes.

Figura 30. (c e d) c. Inflorescência fechada; d. Inflorescência com flores masculinas e femininas.

Figura 30. (e e f) e. Plântulas; f. Planta jovem com folhas bífidas.

Figura 30. (g e h) g. Planta jovem com folhas bífidas; h. Planta jovem acaule com folhas pinadas.

(9) *Mauritia* L. f.

Supplementum Plantarum 70, 454. 1781 [1782] {*Suppl. Pl.*}.

Tipo: *Mauritia flexuosa* L. f. – *Supplementum Plantarum* 454. 1781[1782].

Uma espécie do gênero *MAURITIA*

(9. 1) *Mauritia flexuosa.*

(9.1) *Mauritia flexuosa* L. f.

Supplementum Plantarum 454. 1781 [1782].

Tipo: Hábitat em sylvis Surinami, *Dalberg s.n.*

Sinonímias

Mauritia flexuosa var. *venezuelana* Steyerm
Fieldiana, Botany 28: 90. 1951 {*Fieldiana, Bot.;* BPH 371.03}.

Mauritia vinifera Mart.
Historia Naturalis Palmarum 2: 42, pls. 38,39. 1824{*Hist. Nat. Palm.*}

Nome vulgar
Buriti

Figura 31

Buriti

Palmeira monocaule, com plantas masculinas e femininas separadas (dióica), com até 30 m de altura, estipe (caule) liso, medindo no máximo 50 cm de diâmetro. Folhas do tipo costapalmadas; bainha aberta, tamanho da folha até 6,0 m de comprimento e com até 250 segmentos (folíolos). Inflorescência interfoliar, frutos elipsóide-oblongos, cobertos por escamas córneas, medindo 6,24 x 3,89 cm de diâmetro, de coloração marrom-avermelhada na maturidade. (Figura 31).

Ecologia e habitat na Floresta Amazônica

Palmeira muito freqüente e abundante em toda a Amazônia, predominando em solos arenosos encharcados de florestas abertas (savanas) formando densos cinturões, em florestas inundadas periodicamente de igapós, nos diversos igarapés no interior da floresta de terra firme e alguns remanescentes da floresta natural nos centros urbanos. É muito comum também encontrarmos esta palmeira ao longo das margens de rodovias estaduais e federais espalhadas por toda a região amazônica. A água é a maior dispersora dos frutos do buriti, ocasionando as extensas populações de buritizais.

Usos

Da polpa do fruto, obtém-se matéria-prima para fabricação de sorvetes, sucos concentrados e doces; extrai-se também um óleo com características organoléticas de sabor e aroma agradáveis com grande quantidade de ß-caroteno (pró-vitamina A). Este óleo pode ter ainda um variado número de aplicações nas indústrias de cosméticos e de produtos alimentícios. Do estipe (caule) cortado, obtém-se uma seiva que se transforma em mel e este em açúcar, com concentração de 92,70 % de sacarose. Dos folíolos adultos são retiradas talas para confecção de "papagaios de papel" (pipas). A casca dos pecíolos é utilizada para confecção de cestos, chapéus, leques, armadilha para pescarias etc. As fibras dos pecíolos são utilizadas como rolhas para diversos tipos de garrafas e como adereços na confecção de artesanato e brinquedos.

Habitat no campus do INPA

No Campus do INPA, possui freqüência e abundância muito baixa; não foi constatada regeneração natural. Sua ocorrência concentra-se no Bosque da Ciência, nas margens do lago amazônico (uma espécie adulta feminina e quatro jovens na fase acaulescentes) e no extremo da vegetação densa, na margem direita da trilha principal.

Mauritia flexuosa L.f

Figura 31. a. Hábito de crescimento solitário.

Figura 31. (b e c) b. Estipe liso; c. Folha tipo costapalmada.

Figura 31. (d e e) d. Detalhe da coroa foliar com presença de folhas senescentes; e. Inflorescência masculina.

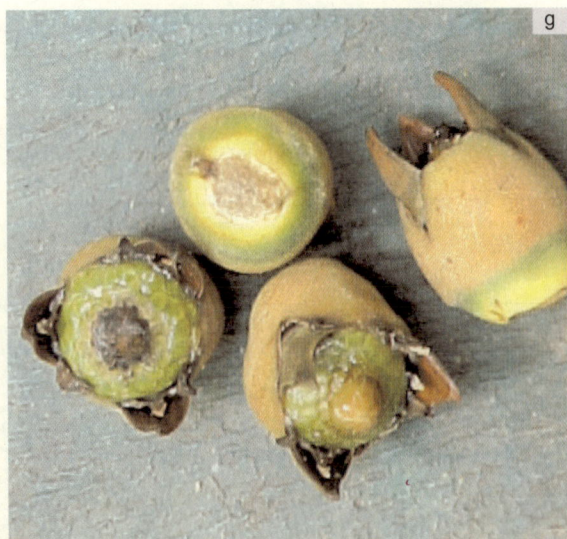

Figura 31. (f e g) f. Flores masculinas; g. Flores femininas.

Figura 31. (h e i) h. Frutos maduros; i. Frutos seccionados.

Figura 31. (j e l) j. Semente seccionada visualizando o embrião; l. Semente germinando.

Figura 31. (m e n) m. Regeneração natural; n. Plantas no viveiro.

Figura 31. (o e p) o. Planta jovem; p. Planta jovem acaule.

(10) *Mauritiella* Burret

Notizblatt des Botanischen Gartens und Museums zu Berlin-Dahlem 12: 609. 1935 {*Notizbl. Bot. Gart. Berlin-Dahlem* BPH 668.21}.

Uma espécie do gênero *MAURITIELLA*

(10. 1) *Mauritiella aculeata.*

(10.1) *Mauritiella aculeata* (Kunth) Burret

Notizblatt des Botanischen Gartens und Museums zu Berlin-Dahlem 12: 609. 1935{*Notizbl. Bot. Gart. Berlin-Dahlem* BPH 668.21}.

Sinonímias

Lepidococcus peruvianus (Becc.) A. D. Hawkes
Arquivos de Botânica do Estado de São Paulo 2: 2. 1952 {*Arq.Bot. Estado São Paulo;* BPH 154.01}.

Mauritia aculeata Kunth
Nova Genera et Species Plantarum 1: 311. 1816 {*Nov. Gen. Sp.*}.

Mauritia peruviana Becc.
Annals of the royal botanic garden. Calcutta. 12(2): 255.1918 {*Ann. Roy. Bot. Gard. (Calcutta);* BPH 112.18}.

Mauritiella armata (Mart.) Burret
Notizblatt des Botanischen Gartens und Museums zu Berlin-Dahlem 12: 611. 1935 {*Notizbl. Bot. Gart. Berlin-Dahlem;* BPH 668.21}.

Mauritiella peruviana (Becc.) Burret
Notizblatt des Botanischen Gartens und Museums zu Berlin-Dahlem 12: 609.1935 {*Notizbl. Bot. Gart. Berlin-Dahlem;* BPH 668.21}.

Nome vulgar
Buritirana

Buritirana

Palmeira multicaule, com plantas masculinas e femininas separadas (dióica), com até 20 m de altura, estipe (caule) com acúleos pontiagudos medindo no máximo 14 cm de diâmetro. Folhas do tipo costapalmadas, bainha aberta, tamanho da folha até 3,0 m de comprimento. Inflorescência infrafoliar na antese, frutos ovóides ou elipsóide-oblongos, cobertos com pequenas escamas córneas, medindo 3,3 x 2,4 cm de diâmetro, coloração avermelhada ou castanho-avermelhada na maturidade. (Figura 32).

Ecologia e habitat na Floresta Amazônica

Palmeira muito freqüente e abundante em toda a Amazônia, predominando em solos arenosos encharcados de florestas abertas, florestas de campinaranas e no interior da floresta de terra firme (sendo que nesse ecossistema predomina nas áreas de baixio e próximo aos igarapés permanentes). É bastante comum encontrar a buritirana em floresta de campinarana associada com outras palmeiras como o *Astrocaryum acaule*, *Bactris campestris*, *Desmoncus mitis*, *Euterpe catinga* e *Mauritia carana*.

Usos

A polpa do fruto é comestível *in natura* e quando extraída serve para preparar um vinho com sabor semelhante ao do buriti. A espécie tem potencial ornamental para uso no paisagismo urbano, com certo cuidado devido à presença de acúleos ponteagudos no caule.

Habitat no campus do INPA

Esta espécie é rara no Campus (duas touceiras), localizada na entrada principal, mais precisamente próximo à árvore samaumeira. Nunca frutificou, apesar de ser adulta; regenera-se somente por brotamentos laterais nas suas touceiras, o que conseqüentemente garante sua sobrevivência nesta Reserva. Não ocorre no Bosque da Ciência.

Mauritiella aculeata (Kunth) Burret

Figura 32. a. Hábito de crescimento em touceira.

Figura 32. (b e c) b. Estipe com acúleos; c. Regeneração por brotamentos laterais.

Figura 32. (d e e) d. Folha costapalmada com superfície abaxial (inferior) glauca; e. Inflorescência.

Figura 32. (f e g) f. Ráquila com frutos; g. Plântula.

Figura 32. h. Planta jovem.

(11) *Maximiliana* Mart.

Palmarum familia 20. 1824{*Palm. Fam.*}.
Tipo: *Maximiliana martiana* Karsten – *Linnaea* 28: 273. 1857.

Uma espécie do gênero *MAXIMILIANA*

(11. 1) *Maximiliana maripa.*

(11.1) *Maximiliana maripa* (Aubl.) Drude

Flora Brasiliensis 3: 452, pl. 104. 1881 {*Fl. Bras.*}.

Sinonímias

Attalea venatorum (Poepp. ex Mart.) Mart.
Historia Naturalis Palmarum 3: 325.1850 {*Hist. Nat. Palm.*}.

Cocos venatorum Poepp. ex Mart.
Historia Naturalis Palmarum 3: 325.1850 {*Hist. Nat. Palm.*}.

Mauritia peruviana Becc.
Annals of the royal botanic garden. Calcutta. 12(2): 255. 1918 {*Ann. Roy. Bot. Gard. (Calcutta);* BPH 112.18}.

Maximiliana regia Mart.
Historia Naturalis Palmarum 2: 131.1826 {*Hist. Nat. Palm.*}.

Maximiliana stenocarpa Burret
Notizblatt des Botanischen Gartens und Museums zu Berlin-Dahlem 10:696. 1929 {*Notizbl. Bot. Gart. Berlin-Dahlem;* BPH 668.21}.

Maximiliana venatorum (Poepp. ex Mart.) H. A. Wendland ex Kerchove.
Les Palmiers 251. 1878{*Palmiers*}.

Palma maripa Aubl.
Histoire des plantes de la Guiane Française 2: 974, *frontisp.* 1-2. 1775{*Hist. Pl. Guiane*}.

Nome vulgar
Inajá

Inajá

      Palmeira monocaule com até 25 m de altura e estipe (caule) liso na parte inferior e com presença de bainhas senescentes na parte superior, medindo no máximo 40 cm de diâmetro. Folhas do tipo pinadas, bainha aberta, tamanho da folha até 10 m de comprimento, pinas agrupadas irregularmente dispostas em diferentes planos. Inflorescência interfoliar, frutos oblongos elipsóides lisos, medindo 5,5 x 3,0 cm de diâmetro com coloração marrom na maturidade. Tegumento das sementes composto de 1 a 3 amêndoas. (Figura 33).

Ecologia e habitat na Floresta Amazônica

Essa palmeira é freqüente em ambientes muito distintos, desde áreas abertas como pastagens e capoeiras, até as matas de terra firme; tolera solos periodicamente inundados, porém cresce melhor em solos bem drenados e com boa iluminação. Em floresta primária, o inajá forma um banco de plântulas, entretanto os adultos dessa espécie são pouco abundantes. Uma vez cortada e queimada a floresta, as palmeiras jovens persistem nas áreas abertas, devido ao seu meristema apical nesta fase de crescimento ficar abaixo do nível do solo. Nas regiões onde o desmatamento é intenso, essa palmeira invade áreas antropizadas, tornando-se um obstáculo para as pastagens não manejadas. Nas áreas em que as pastagens degradadas são cortadas e queimadas repetidas vezes para sua renovação, as plantas jovens não morrem e seu vigor de regeneração é maior que o de qualquer outra espécie, formando assim população quase homogênea. Este fato é consequência da presença do banco de plântulas remanescentes da floresta original e de matrizes fornecedoras de sementes próximas a essas áreas, as quais são trazidas por animais. Outro fato é que esta espécie é bastante resistente ao *déficit* hídrico, baixa fertilidade do solo e queimadas sucessivas.

Usos

O fruto tem potencial industrial na obtenção de óleo comestível, que serve também de matéria-prima para as indústrias de cosméticos, saboarias e alimentícias. A polpa rica em fósforo, magnésio e ácidos graxos é consumida quase sempre no estado natural. As folhas jovens são utilizadas na cobertura de casas e, às vezes, em paredes de construções rurais. A espata, rígida-lenhosa, quando seca, é usada na preparação de diversos adereços para festas. O tegumento da semente serve para a fabricação de diversas peças de artesanato. Na coroa foliar encontra-se um excelente palmito, no entanto é muito difícil sua retirada.

Habitat no campus do INPA

Esta espécie é facilmente encontrada no Campus, predominando desde as imediações da CPPF, Diretoria, CPBO e CPPN, até o extremo da vegetação densa do Bosque. No Bosque da Ciência, distribui-se principalmente nas áreas de vegetação mais densa, porém é fácil encontrarmos nas margens das trilhas. Nesses locais, o inajá predomina com grande freqüência, abundância e regeneração natural por meio de suas sementes. Os frutos dessa palmeira são bastante abundantes com até 3.000 frutos por cacho. Quando maduros, são bastante consumidos e dispersados pelos animais existentes nesta Reserva.

Maximiliana maripa (Aubl.) Drude

Figura 33. a. Hábito de crescimento solitário.

Figura 33. (b e c) b. Coroa foliar; c. Folha com pinas dispostas em diversos planos.

Figura 33. (d e e) d. Estipe (caule); e. Espata fechada.

Figura 33. (f e g) f. Inflorescência masculina; g. Infrutescência.

Figura 33. (h e i) h. Frutos e sementes; i. Planta jovem com folhas inteiras.

Figura 33. (j e l) j. Planta jovem com folhas inteiras e pinadas; l. Planta no estágio acaule.

Figura 33. m. Regeneração natural.

(12) *Oenocarpus* Mart.

Historia Naturalis Palmarum 2(1): 21-22. 1823{*Hist. Nat. Palm.*}.
Tipo: *Oenocarpus bacaba* Mart. – *Historia Naturalis Palmarum* 2: 24, pl. 26, f. 1-2. 1823. LT designado por Moore, Gentes Herb. 9: 269 (1963).

Chave para a identificação das espécies de *OENOCARPUS*

1. Plantas com ráquilas de coloração branca
   após a polinização . . . .*Oenocarpus bataua* (12. 2).

1. Plantas com ráquilas avermelhadas após a polinização.

   2. Com estipes solitários, pinas dispostas em diferentes
      planos. . . . .*Oenocarpus bacaba* (12. 1)

   2. Com estipes em touceiras, pinas dispostas no
      mesmo plano. . . . . *Oenocarpus minor* (12. 3)

(12.1) *Oenocarpus bacaba* Mart.

Historia Naturalis Palmarum 2: 24, pl. 26, f. 1-2. 1823{*Hist. Nat. Palm.*}.
Tipo: *Poiteau s.n.,* 1819-21, Guiana Francesa (G).

Sinonímias

Oenocarpus bacaba var. *grandis* (Burret) Wess. Boer
Pittieria 17: 131. 1988{*Pittieria;* BPH BPH/S 655.25}.

Nome vulgar
Bacaba

Figura 34

Bacaba

Palmeira monocaule, com até 25 m de altura e estipe (caule) liso, medindo no máximo 35 cm de diâmetro. Folhas do tipo pinadas, bainha aberta, tamanho da folha até 7 m de comprimento, pinas dispostas em diferentes planos. Inflorescência infrafoliar na antese, com ráquilas de coloração avermelhada após a polinização, frutos elipsóides-globosos lisos, medindo 1,3 x 1,5 cm de diâmetro, de coloração escuro-arroxeada quando maduro. (Figura 34).

Ecologia e habitat na Floresta Amazônica

Palmeira muito freqüente no interior da floresta fechada de terra firme, ocupando basicamente o sub-bosque médio, todavia com poucos indivíduos adultos e um grande banco de plântulas. É também bastante comum a freqüência da bacaba em áreas abertas, tais como: pastagens e capoeiras, porém com apenas indivíduos adultos e jovens; a predominância de bacaba nestas áreas é conseqüência da resistência das mesmas ao corte e ao fogo; esta resistência é devida ao crescimento acaule, em que o meristema apical fica localizado abaixo do nível do solo.

Usos

A bacaba possui grande potencial ornamental e paisagístico para a arborização urbana, cultivo em parques botânicos e praças. Da polpa do fruto, retira-se óleo comestível semelhante ao de oliva, que é utilizado, às vezes, em frituras caseiras pelo caboclo; dela obtém-se também um vinho de sabor bastante agradável, que pode ser consumido com farinha de mandioca e açúcar ou utilizado como matéria-prima para preparação de sorvetes e sucos concentrados. Da amêndoa, é extraído um óleo amarelo-claro de sabor agradável, sem odor, que pode ser empregado na alimentação humana em substituição ao azeite doce; este óleo também é aplicado no fabrico de sabão e estearina. As folhas são utilizadas para cobertura de casas e de moradias provisórias em zonas rurais e no interior da floresta. O estipe (caule) é empregado como esteios, ripas, lanças, cabo de guarda-chuvas e cabo de ferramentas. O palmito é de boa qualidade, mas seu extrativismo não é recomendado, devido a essa espécie ser de hábito solitário.

Habitat no campus do INPA

Esta palmeira é facilmente encontrada por todo o Bosque da Ciência, ocupando principalmente as áreas de vegetação mais densa. Nesse local, a bacaba predomina com grande freqüência, abundância e regeneração natural por meio de suas sementes. Fora do Bosque esta espécie é encontrada próximo ao laboratório de anatomia da CPBO e entre o prédio da Assinpa e do Serviço Médico e Odontológico.

Oenocarpus bacaba Mart.

Figura 34. (a e b) a. Hábito de crescimento solitário; b. Estipe (caule).

Figura 34. (c e d) c. Folha com folíolos dispostos em diversos planos; d. Espata fechada.

Figura 34. (e e f) e. Inflorescência nova de coloração amarela e inflorescência vermelha após a polinização; f. Infrutescência madura.

Figura 34. (g e h) g. Frutos seccionados e sementes; h. Plântulas.

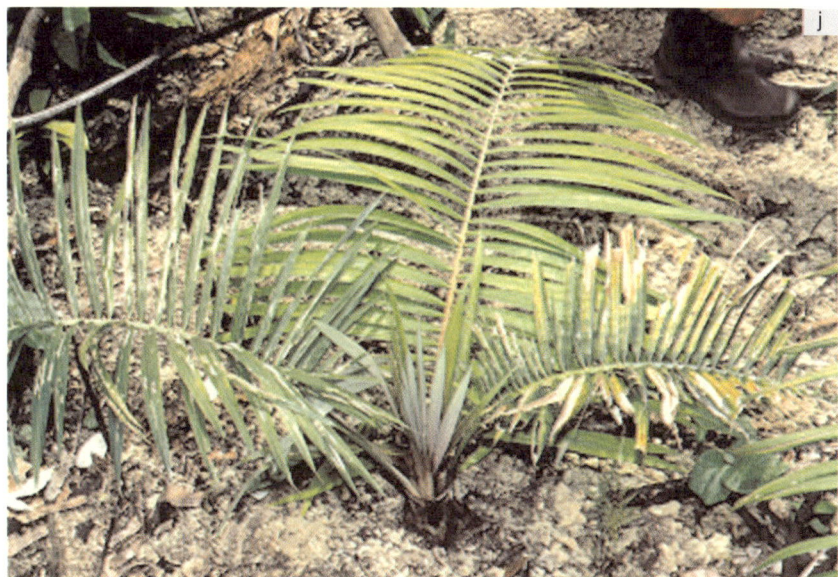

Figura 34. (i e j) i. Planta jovem; j. Planta no estágio acaule, regenerando após corte e queimada.

(12.2) *Oenocarpus bataua* Mart.

Historia Naturalis Palmarum 2(1): 23-24, t. 24-25.1823{*Hist. Nat. Palm.*}.
Tipo: *Poeppig 1999,* Julho 1830, Peru (G). *Poeppig 1997*, Julho 1830, Peru (G).

Sinonímias

Jessenia bataua (Mart.) Burret
Notizblatt des Botanischen Gartens und Museums zu Berlin- Dahlem 10(93): 300, 302-304.
1928{*Not. Bot. Gart. Berlin- Dahlem;* BPH 668.21}.

Jessenia polycarpa H. Karst.
Linnaea 28: 388. 1857{*Linnaea;* BPH 532.04}.

Jessenia weberbaueri Burret
Notizbl. des Botanischen Gartens und Museums zu Berlin-Dahlem 10: 840. 1929{*Notiz.Bot.
Gart. Berlin-Dahlem;* BPH 668.21}.

Nome vulgar
Patauá

Figura 35

Patauá

192

Palmeira monocaule com até 25 m de altura e estipe (caule) liso, medindo no máximo 45 cm de diâmetro. Folhas do tipo pinadas, bainha aberta com presença de muitas fibras, tamanho da folha até 10 m de comprimento, pinas agrupadas e dispostas no mesmo plano. Inflorescência infrafoliar na antese, frutos ovóide-elipsóides lisos, medindo 3,5 x 1,8 cm de diâmetro, de coloração escuro-arroxeada. (Figura 35).

Ecologia e habitat na Floresta Amazônica

Espécie muito freqüente e abundante nas florestas de baixio geralmente associada às espécies de *Bactris maraja*, *Euterpe precatoria*, *Geonoma maxima* var. *chelidonura*, *Mauritia flexuosa*, *Orbignya espectabilis* e *Socratea exorrhiza*, ocasionalmente ocorre em floresta de platô, onde são encontradas algumas plântulas (mas raramente indivíduos jovens e adultos). Cresce bem em solos arenosos mal drenados, de baixa altitude.

Usos

A polpa do fruto é usada para preparação de vinho, sorvetes e sucos concentrados. Dela extrai-se também um óleo que pode substituir o azeite de oliva na culinária, por ter sabor e propriedades químicas semelhantes; este óleo também tem uso na medicina caseira, no controle da queda de cabelo, caspa, bronquite e tuberculose. As folhas servem de matéria-prima para confecção de leques, bolsas, cestos etc. O caule duro e resistente é empregado em construções rurais. Segundo a medicina popular, as raízes adventícias têm emprego no combate a verminoses, diarréias e enxaquecas e outros males estomacais. As inflorescências jovens são comestíveis, entretanto, quando queimadas, suas cinzas são utilizadas pelos indígenas para obtenção de sal.

Habitat no campus do INPA

Palmeira rara no Campus do INPA, constatou-se a existência de oito indivíduos, sendo cinco adultos predominando entre a praça da Bandeira e o Departamento de Botânica (CPBO) e dois jovens (acaule) crescendo na margem do lago amazônico, no Bosque da Ciência. Das cinco espécies adultas, três frutificam regularmente, porém não foi encontrada regeneração natural.

Oenocarpus bataua Mart.

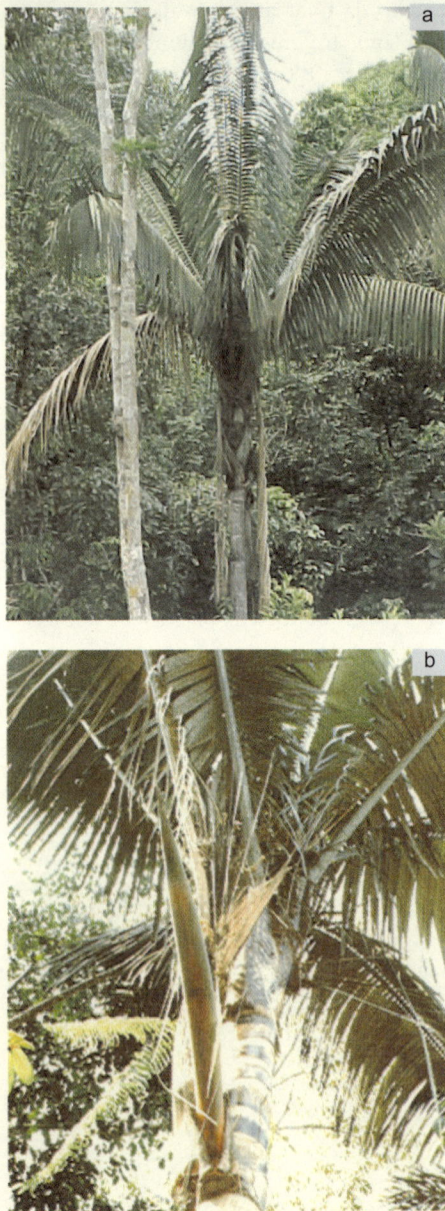

Figura 35. (a e b) a. Hábito de crescimento solitário; b. Coroa foliar com folíolos no mesmo plano e espata fechada.

Figura 35. (c e d) c. Bainhas cobertas por fibras; d. Estipe (caule).

Figura 35. (e e f) e. Inflorescência; f. Frutos inteiros e seccionados, semente.

Figura 35. (g e h) g. Plântulas; h. Planta jovem acaule.

Figura 35. i. Folíolos dispostos no mesmo plano e superfície abaxial (inferior) glauca.

(12.3) *Oenocarpus minor* Mart.

Historia Naturalis Palmarum 2: 25-26, pl. 27 (part).1823{*Hist. Nat. Palm.*}.
Tipo: *Martius, Obs.3121 s.n.,* s/ data, Brasil (M).

NOME VULGAR
Bacabinha

Bacabinha

Palmeira multicaule com até 10 m de altura, estipe liso medindo 8 cm de diâmetro. Folhas do tipo pinadas, bainha aberta, tamanho da folha 4 m de comprimento, pinas agrupadas e dispostas no mesmo plano. Inflorescência infrafoliar, frutos globosos-elipsóides lisos, medindo 1,68 x 0,92 cm de diâmetro, com coloração roxo-escura quando maduros. (Figura 36).

Ecologia e habitat na Floresta Amazônica

Muito freqüente e abundante no sub-bosque da floresta de platô, em solos argilosos ácidos e bem drenados. Inventários demonstram que esta palmeira não resiste às perturbações intermitentes da floresta, o que é justificado pela pouca ocorrência em florestas abertas e capoeiras.

Usos

A polpa do fruto é usada para produzir um vinho semelhante ao da bacaba, que é bastante nutritivo e energético. As folhas são utilizadas para abrigos provisórios na floresta. O caule resistente e duro é empregado para fabricar pontas de flechas e arcos. A espécie é bastante ornamental, com grande potencial para uso em jardins, paisagismo urbano e arborização de ruas, calçadas e praças.

Habitat no campus do INPA

Ocorrem vários indivíduos nos arredores da entrada principal do Campus, prédio do GTI e Biblioteca. A bacabinha frutifica regularmente, mas possui pouca regeneração por meio de sementes, no entanto os brotamentos laterais de suas touceiras garantem sua sobrevivência nesta Reserva. No Bosque da Ciência é encontrado somente um indivíduo, que está localizado no final da trilha principal, no lado direito.

Oenocarpus minor Mart.

Figura 36. (a e b) a. Hábito de crescimento em touceiras; b. Detalhe do estipe (caule) e folha com folíolos dispostos no mesmo plano.

Figura 36. (c e d) c. Planta jovem com folha nova de coloração avermelhada; d. Espata fechada.

Figura 36. (e e f) e. Inflorescência e infrutescência; f. Flores femininas.

Figura 36. g. Ráquilas com frutos maduros, frutos e sementes.

(13) *Roystonea* O. F. Cook.

Science, n.s. 12 (300): 479. 1900{*Science;* BPH 829.19}.
Tipo: *Roystonea regia (*Kunth) O. F. Cook – *Science,* n.s. 12 (300): 479. 1900.

Uma espécie do gênero *ROYSTONEA*

(13. 1) *Roystonea oleracea.*

(13.1) *Roystonea oleracea* (Jacq.) O.F. Cook

Bulletin of the Torrey Botanical Club 28(10): 554.1901{*Bull. Torrey Bot. Club;* BPH 284.15}.

Sinonímias

Areca oleracea Jacq.
Selectarum Stirpium Americanarum Historia. 278, t. 170. 1763{*Select. Stirp. Amer. Hist.*}.

Roystonea venezuelana L.H. Bailey.
Gentes Herb.; occasional papers on the kind of plants 8: 124. 1949{*Gentes Herb.;* BPH 397.07}.

Nome vulgar
Palmeira Imperial

Figura 36

Palmeira Imperial

Palmeira solitária com até 50 m de altura, estipe (caule) liso com 60 cm de diâmetro. Folhas do tipo pinadas, bainha fechada de coloração verde, tamanho da folha até 6 m de comprimento, pinas agrupadas e dispostas em planos diferentes. Inflorescência infrafoliar, frutos globosos pequenos de coloração escura quando maduros. (Figura 36).

Ecologia e habitat da Floresta Amazônica

Palmeira não originária da floresta amazônica. De origem das Antilhas, esta palmeira foi introduzida no Brasil em 1809 por D. João VI, sendo considerada como uma das palmeiras mais belas e ornamentais do mundo. Atualmente é cultivada em todo o país, ornamentando parques, praças, repartições públicas e privadas, jardins botânicos, arborização urbana e jardins residenciais. Além de sua beleza, a palmeira imperial demonstra-se rústica, adapta-se às adversidades de clima, solos degradados, *déficit* hídrico e poluição dos escapamentos de automóveis; é também tolerante à pragas e doenças, daí seu grande cultivo.

Usos

Possui grande potencial para arborização urbana e paisagismo.

Habitat no campus do INPA

Não tem ocorrência desta palmeira no Bosque da Ciência. Verificou-se a presença de um indivíduo localizado na frente da central de ar-condicionado da CPPF.

Roystonea oleracea (Jacq.) O. F. Cook.

Figura 36. (a e b) a. Hábito de crescimento solitário; b. Coroa foliar com folíolos das folhas dispostos em planos diferentes.

Figura 37. (c e d) c. Pecíolos curtos e bainhas alongadas e fechadas; d. Estipe liso e cilíndrico.

(14) *Socratea* H. Karst.

Linnaea 28: 263. 1856 [1857]{*Linnaea;* BPH 532.04}.
Tipo: *Socratea orbigniana* (Mart.) H. Karst. – *Linnaea* 28: 264. 1856. *LT designado por Moore, Gentes Herb.* 9:275-285 (1963).

Uma espécie do gênero *SOCRATEA*

(14. 1) *Socratea exorrhiza.*

(14.1) *Socratea exorrhiza* (Mart.) H. Wendl.

Bonplandia 8(6): 103. 1860{*Bonplandia (Hanover);* BPH 217.02}.

Sinonímias

Iriartea durissima Oerst.
Videnskabelige Meddelelser fra Dansk Naturhistorisk Forening i Kjøbenhavn 1858: 30. 1859{*Vidensk. Meddel. Dansk Naturhist. Foren. Kjobenhavn;* BPH 964.12}.

Iriartea exorrhiza Mart.
Historia Naturalis Palmarum 2(2): 36-37, t. 33-34.1824 {*Hist. Nat. Palm.*}.

Iriartea exorrhiza var. *elegans* (Karst.) Drude
Flora Brasiliensis 3(2): 539. 1882 {*Fl. Bras.*}.

Iriartea exorrhiza var. *orbigniana* (Mart.) Drude
Flora Brasiliensis 3(2): 540. 1882 {*Fl. Bras.*}.

Iriartea orbigniana Mart.
Historia Naturalis Palmarum 3(7): 189. 1838 {*Hist. Nat. Palm.*}.

Iriartea philonotia Barb. Rodr.
Enum. Palm. Nov. 13. 1875.

Socratea albolineata Steyerm.
Fieldiana, Botany 28: 91. 1951{*Fieldiana, Bot.;* BPH 371.03}.

Socratea durissima (Oerst.) H. Wendl.
Bonplandia 8(6): 103.1860{*Bonplandia (Hanover);* BPH 217.02}.

Socratea elegans Karst.
Linnaea 28: 264. 1856{*Linnaea;* BPH 532.04}.

Socratea gracilis Burret
Notizblatt des Botanischen Gartens und Museums zu Berlin-Dahlem 15: 1. 1940{*Notizbl. Bot. Gart. Berlin-Dahlem;* BPH 668.21}.

Socratea hoppii Burret
Notizblatt des Botanischen Gartens und Museums zu Berlin-Dahlem 11: 232. 1931{*Notizbl. Bot. Gart. Berlin-Dahlem;* BPH 668.21}.

Socratea macrochlamys Burret
Notizblatt des Botanischen Gartens und Museums zu Berlin-Dahlem 10: 918. 1830{*Notizbl. Bot. Gart. Berlin-Dahlem;* BPH 668.21}.

Socratea orbigniana (Mart.) H. Karst.
Linnaea 28: 264. 1856{*Linnaea;* BPH 532.04}.

Socratea philonotia (Barb. Rodr.) Hook.
Genera Plantarum 3: 900. 1883{*Gen. Pl.*}.

Nome vulgar
Paxiúba

Paxiúba

Palmeira monocaule, com até 20 m de altura, estipe (caule) liso medindo no máximo 20 cm de diâmetro, presença de raízes escoras com pequenos acúleos. Folhas do tipo pinadas reduplicadas, bainha fechada, tamanho da folha até 4 m de comprimento, pinas com recorte apical profundo, distribuídas em diferentes planos. Inflorescência infrafoliar na antese; frutos elipsóides ou ovóides lisos, medindo 2,88 x 1,94 cm de diâmetro, de coloração alaranjada quando maduros. (Figura 38)

Ecologia e habitat na Floresta Amazônica

Palmeira muito freqüente nas áreas de baixio da floresta de terra firme, associadas principalmente com *Bactris maraja*, *Euterpe precatoria*, *Geonoma maxima* var. *chelidonura*, *Mauritia flexuosa* e *Orbignya espectabilis*. Em florestas de campinaranas e margens de igarapés ocorre com maior abundância. Cresce bem em solos arenosos e encharcados, no entanto tolera solos bem drenados. Na floresta de platô, são encontradas algumas plântulas, mas raramente encontram-se indivíduos jovens e adultos. Seus frutos são bastante apreciados pela fauna silvestre, responsável pela sua dispersão.

Usos

O estipe (caule) é bastante duro e resistente, por essa razão é utilizado em construções de casas, incluindo postes, assoalhos, paredes e cercaduras de janelas; serve também para fabricar instrumentos musicais como trombetas. É uma palmeira bastante ornamental, podendo ser cultivada em parques botânicos e jardins.

Habitat no campus do INPA

Esta espécie possui freqüência e abundância muito baixa no Campus do INPA. Foi constatada regeneração natural por meio de sementes, porém não passam do estágio de plântulas. A paxiúba ocorre somente no Bosque da Ciência com dois indivíduos, sendo um entre a ilha da Tanimbuca e condomínio das abelhas e outro próximo ao laboratório de pesquisas de abelhas.

Socratea exorrhiza (Mart.) H. Wendl.

Figura 38. a. Hábito de crescimento solitário.

Figura 38. (b e c) b. Detalhe dos folíolos; c. Raízes escoras.

Figura 38. (d e e) d. Detalhe de uma raiz escora nova com presença de pequenos acúleos; e. Frutos inteiros, seccionados e sementes.

Figura 38. f. Sementes.

Figura 38. (g e h) Plântulas com folhas bífidas.

Figura 38. i. Planta jovem.

(15) *Syagrus* Mart.

Palmarum familia 18-19. 1824 {*Palm. Fam.*}.
Tipo: *Syagrus cocoides* Mart. – *Voyage dans l'Amérique Méridionale* 134. 1881.

Uma espécie do gênero *SYAGRUS*

(15. 1) *Syagrus inajai.*

(15.1) *Syagrus inajai* (Spruce) Becc.

Agric. Colon. 10: 467. 1916.

Sinonímias

Maximiliana inajai Spruce
Linn. Soc., Bot. 11: 163. 1871.

Cocos inajai (Spruce) Trail
J. Bot. 6: 79. 1877.

Cocos aequatorialis Barb. Rodr.
Enum. palm. nov. 38. 1875.

Syagrus aequatorialis (Barb. Rodr) Barb. Rodr.
Protesto-Appendice 33. 1879.

Nome vulgar
Pupunha-brava

Figura 39

Pupunha-brava

Palmeira monocaule com até 15 m de altura, estipe (caule) liso, medindo no máximo 20 cm de diâmetro. Folhas do tipo pinadas; bainha aberta, tamanho das folhas até 4m de comprimento agrupadas e dispostas em diferentes planos. Inflorescência interfoliar, frutos elipsóides lisos, medindo 4,2 x 3,1 cm de diâmetro, de coloração amarelo-alaranjada quando maduros. (Figura 39).

Ecologia e habitat na Floresta Amazônia

Palmeira muito freqüente e abundante no sub-bosque médio da floresta de platô, porém com poucos indivíduos adultos, mas com uma boa abundância de plântulas e indivíduos jovens. Em floresta de vertente e baixio ocorre pouca abundância. Predomina também em florestas abertas, margens de estradas e capoeiras, sempre em solos argilosos e bem drenados. Na fase acaulescente, são tolerantes ao corte e ao fogo. Seus dispersores são atraídos pelo odor forte que os frutos exalam.

Usos

A amêndoa é comestível, e o tegumento é empregado em artesanato. O palmito não é recomendado, por ser de sabor amargo e desagradável. A espécie tem grande potencial ornamental para uso em paisagismo urbano. As plantas jovens de folhas fechadas (não pinadas) podem ser cultivadas em vasos, pois toleram a sombra e não há desenvolvimento do estipe (caule).

Habitat no campus do INPA

Esta espécie é facilmente encontrada no Campus, desde as imediações da CPBO, Coordenação de Pós-graduação até o extremo da vegetação do Bosque, sendo que a maior freqüência, abundância e regeneração natural ocorrem na área de floresta mais densa do Bosque. Essa palmeira não corre risco de extinção nessa Reserva, porque possui grande regeneração natural por meio de suas sementes, e, por conseqüência, há vários indivíduos em diversos estágios de crescimento.

Syagrus inajai (Spruce) Becc.

Figura 39. a. Hábito de crescimento solitário.

Figura 39. (b e c) b. Coroa foliar; c. Detalhe da folha com folíolos dispostos em diferentes planos.

Figura 39. (d e e) d. Estipe; e. Espata fechada.

Figura 39. (f e g) f. Inflorescência com flores femininas polinizadas;
g. Ráquila com flores femininas.

Figura 39. (h e i) h. Infrutescência verde; i. Frutos maduros.

Figura 39. (j e l) j. Sementes inteiras e seccionadas; l. Plântula com folha inteira.

Figura 39. (m e n) m. Planta jovem com folhas fechadas;
n. Planta jovem com folhas fechadas e folhas pinadas.

REFERÊNCIAS

ALVES, M. R. P. *Palmeiras, características botânicas e evolução.* Campinas: Fundação Cargill, 1987. 129 p.

BONDAR, G. *Palmeiras do Brasil.* São Paulo: Instituto de Botânica. 1964. 5-159 p.

BERNAL, R. G. Colombian palm products. In: M. PLOTKIN; L. FAMOLARE (ed.). *Sustainable harvest na marketing of rain florest products.* Washington: Island Press/Conservation International. 1992. 325 p.

CRONQUIST, A. *Na integrated system of classification of flowering plants.* New York, USA: Columbia University Press 1981. 396 p.

GALEANO, G. *Las palmas de la región de araracuara.* Tropenbos: Colômbia Bogotá. 1992. 180 p.

HENDERSON, A. *The palms of the amazon.* New York: Oxford University Press. 1995. 232 p.

KAHN, F.; GRANVILLE, J. J. de. *Palms in forest ecosystems of amazonian.* Berlin: Heidelberg; New York: Springer Verlag, Ecological Series 95, 1992. 226 p.

MIRANDA, I. P. A.; RABELO, A.; BUENO, C. R.; BARBOSA, E. M.; RIBEIRO, M. N. S. *Frutos de palmeiras da Amazônia.* Manaus. 2001. 120 p.

MIRANDA, I.P.A.; RABELO, A.; BARBOSA, E.M.; SANTIAGO, F.F.; CHAVES, L.S.; MELO, Z.L.O. 2003. *As palmeiras nativas.* In: Miranda, I.P.A.; Barbosa, E.M.; Guillaumet, J.L.; Rodrigues, M.R.L.; Silva, M.F.F. (Eds.). Ecossistemas florestais em áreas manejadas na Amazônia. MCT/INPA/PPG-7, Manaus, AM. 245-269 p.

MOUSSA, F.; MIRANDA, I.P.A.; KAHN, F. 1994. *Palmeiras no Herbário do Inpa.* INPA/ORSTOM, Manaus, AM. 93 p.

RABELO, A. *Palmeiras do campus da Universidade do Amazonas.* Monografia. Manaus, AM. 1987. 44 p.

RIBEIRO, J. E. L. S.; HOPKINS, M. J. G.; VICENTINI, A.; SOTHERS, C. A.; COSTA, M. A. S.; BRITO, J. M.; SOUZA, M. A. D.; MARTINS, L. H. P.; LOHMANN, L. G.; ASSUNÇÃO, P. A. C. L.; PEREIRA, E. C.; SILVA, C. F.; MESQUITA, M. R.; PROCÓPIO, L. C. 1999. Flora da Reserva Ducke: *Guia de identificação das plantas vasculares de uma floresta de terra-firme na Amazônia central.* Manaus: INPA. 816 p.

UHL, N. W.; DRANSFIELD, J. Genera palmarum. a classication of palms based on the work of Harold E. Moore, Jr. *International palm society and l. h. bailey hortorium.* 1987. 610 p.

Sites consultados:

http://www.aldeiamt.com.br/ceplac/pupunha.html

http://www.geocities.com/Athens/Crete/3033/acai.htm

http://www.inpa.gov.br/pupunha/artigos/mar1.html

http://mobot.mobot.org/W3T/Search/vast.html

http://www.omb.com.br

http://www.revistaagroamazonia.com.br/index.htm

http://www.seagri.ba.gov.br/coqueiro.htm

APÊNDICE. RELAÇÃO DAS PALMEIRAS OCORRENTES NO CAMPUS DO INPA E DA UFAM

Espécies	Campus do INPA	Campus da UFAM
Acrocomia aculeata (Jacq.) Lodd. ex Mart.	ausente	presente
Astrocaryum acaule Martius	presente	presente
Astrocaryum aculeatum G. Meyr	presente	presente
Astrocaryum gynacanthum Martius	presente	presente
Bactris concinna Martius	presente	ausente
Bactris gasipaes Kunth	presente	presente
Bactris gastoniana Barb. Rodr.	presente	ausente
Bactris hirta Martius	presente	presente
Bactris cf. *riparia* Martius	presente	ausente
Bactris simplicifrons Martius	presente	presente
Bactris tomentosa Martius	ausente	presente
Attalea cf. *attaleoides* (Barb. Rodr.) W. Boer	presente	ausente
Cocos nucifera L.	presente	presente
Elaeis guineensis Jacq.	presente	presente
Elaeis oleifera (Kunth) Cortés	presente	presente
Euterpe oleracea Martius	presente	presente
Euterpe precatoria Martius	presente	presente
Geonoma maxima var. *chelidonura* (Spruce) Henderson	presente	presente
Iriartella setigera (Martius) Wendland	ausente	presente
Leopoldinia pulchra Martius	presente	ausente
Mauritia flexuosa L. f.	presente	presente
Mauritiella aculeata (Kunth) Burret	presente	presente
Maximiliana maripa (Aubl.) Drude	presente	presente
Oenocarpus bacaba Martius	presente	presente
Oenocarpus bataua Martius	presente	presente
Oenocarpus minor Martius	presente	ausente

Espécies	Campus do INPA	Campus da UFAM
Roystonea oleracea (Jacq.) O. F. Cook	presente	presente
Socratea exorrhiza (Mart.) H. Wendl.	presente	presente
Syagrus inajai (Spruce) Becc.	presente	presente

Fonte: Pesquisa de Campo, 1998- 2004